Homens gostam de mulheres que gostam de si mesmas

STEVEN CARTER & JULIA SOKOL
autores de *O que toda mulher inteligente deve saber*

Homens gostam de mulheres que gostam de si mesmas

e outros segredos que as
mulheres inteligentes sabem

SEXTANTE

Título original: *Men Like Women Who Like Themselves*

tradução
Sonia Maria Moitrel Schwarts

preparo de originais
Regina da Veiga Pereira

revisão
Ana Grillo
Mariana Rimoli
Tereza da Rocha

projeto gráfico e diagramação
Valéria Teixeira

capa e ilustração da capa
Silvana Mattievich

pré-impressão
ô de casa

impressão e acabamento
Bartira Gráfica e Editora S/A

CIP-BRASIL. CATALOGAÇÃO-NA-FONTE
SINDICATO NACIONAL DOS EDITORES DE LIVROS, RJ

C315h Carter, Steven, 1956-
Homens gostam de mulheres que gostam de si mesmas / Steven Carter e Julia Sokol [tradução de Sonia Maria Moitrel Schwarts.] – Rio de Janeiro: Sextante, 2008.

Tradução de: Men like women who like themselves
ISBN 978-85-7542-354-7

1. Relações homem-mulher. 2. Autoconfiança. 3. Encontro (Costumes sociais). 4. Mulheres – Comportamento sexual. 5. Relações humanas. I. Sokol, Julia. II. Título.

CDD 158.2
08-0016 CDU 159:316.47

Rua Voluntários da Pátria, 45 – Gr. 1.404 – Botafogo
22270-000 – Rio de Janeiro – RJ
Tel.: (21) 2286-9944 – Fax: (21) 2286-9244
E-mail: atendimento@esextante.com.br
www.sextante.com.br

Para Jill,
uma das mulheres mais
inteligentes que conhecemos.

A mulher inteligente sabe muito sobre os homens, mas sabe ainda mais sobre ela mesma.

Quem são "as mulheres inteligentes"? Serão mulheres com QIs extraordinários? Serão mulheres com doutorados ou carreiras fabulosas? Serão especialistas no mercado de ações, grandes chefs de cozinha, ou brilhantes oradoras? A nossa resposta para essas perguntas é não.

A mulher inteligente é aquela que conhece com toda a clareza e segurança seu valor e seu poder. Ela sabe o que quer dar em um relacionamento e o que merece receber em troca. A mulher inteligente sabe como enfrentar e superar desafios, e como cuidar da relação em períodos de calmaria. Ou seja, a mulher inteligente sabe quem ela é, se respeita e se faz respeitar. Ela gosta de si mesma, é capaz de se controlar e de controlar sua vida.

É claro que a mulher inteligente, como qualquer ser humano normal, tem seus momentos de fraqueza e de insegurança. É claro que ela tem seus medos e hesitações. A mulher inteligente erra muitas vezes. A grande diferença é que ela tem consciência disso, aceita seus limites e se esforça para superá-los.

Talvez fosse confortador descobrir que, quando ninguém está olhando, as mulheres inteligentes se entopem de chocolates e sorvetes, quebram pratos, choram desconsoladamente e se comunicam dia e noite com seus terapeutas. Mas elas não fazem essas coisas.

É possível que isso deixe você muito irritada e cheia de inveja. No entanto, você conhece várias dessas mulheres e gosta de muitas delas. Algumas são suas amigas, ou vizinhas, outras são suas parentes, e uma delas – quem sabe? – pode até mesmo ser sua mãe. Deixe sua irritação e inveja de lado. Sabe qual é a melhor coisa que você pode fazer? Bem, para começar, você pode admirá-las. E, em seguida, conhecer seus segredos e aprender com elas. Porque, entre outras coisas, as mulheres inteligentes desejam generosamente compartilhar com outras mulheres tudo o que a vida lhes ensinou sobre relacionamentos com homens.

A mulher inteligente conhece bem os homens e sabe o que é importante para eles. Sabe que existem coisas de que os homens gostam e coisas de que não gostam. E não estamos falando de coisas superficiais, como o tamanho do peito, a cor do cabelo ou o formato do nariz. Estamos nos referindo a coisas muito profundas, sérias e significativas. Coisas capazes de construir um relacionamento sólido e feliz. É essencial que as mulheres obtenham essas informações e as levem a sério.

É isto que nos propomos a fazer neste livro: transmitir o que as mulheres inteligentes e que gostam de si mesmas descobriram e aprenderam.

Mas atenção! Quando nos referimos aos homens que gostam das mulheres que gostam de si mesmas, estamos falando de homens bons, decentes, que desejam encontrar uma companheira com as mesmas qualidades. Uma companheira com quem possam construir uma relação que contribua para o crescimento do casal e de cada um em particular. Uma relação capaz de gerar uma família feliz e equilibrada. É importante ter isto em mente: não se trata dos homens em geral, de qualquer homem, dos controladores, mentirosos, egoístas e pouco confiáveis. Desses, a mulher que gosta dela mesma aprende a se afastar o mais rápido possível.

Vamos então começar a aprender com as mulheres que gostam de si mesmas. As que chamamos de "mulheres inteligentes".

A mulher inteligente sabe que...
Os homens gostam das mulheres que gostam de si mesmas.

A mulher inteligente sabe que...
Se quer ser bem-sucedida na sua vida pessoal, você tem que ser muito realista.

Você precisa ter:

- Senso de equilíbrio.
- Senso do próprio valor.
- Senso dos valores essenciais.
- Senso de prioridades.
- Senso de si mesma.
- Senso de humor.

A mulher inteligente sabe...

...como cuidar dela mesma sem sacrificar seus parceiros.

...como cuidar de seus parceiros sem sacrificar sua alma.

Muitas mulheres fazem a mesma pergunta: "Por que uma mulher inteligente deveria se interessar em saber do que os homens gostam, o que querem e do que precisam?" A verdade é que as mulheres se interessam em saber do que os homens gostam simplesmente porque são mulheres, assim como os homens se interessam em saber do que as mulheres gostam simplesmente porque são homens. Não se preocupe: importar-se com aquilo de que os homens gostam e com o que eles querem não faz de você uma mulher antiquada ou dependente.

Veja: apesar de várias afirmações contrárias, os homens e as mulheres não pertencem realmente a planetas diferentes. Em muitos aspectos, as semelhanças entre eles são muito mais numerosas do que as diferenças. Eles compartilham os mesmos tipos de necessidades básicas e vulnerabilidades. E tanto os homens quanto as mulheres querem amar e ser amados. A maneira como expressam isso pode ser diferente. A maneira como lidam com isso pode ser diferente. Mas, no fundo, a humanidade é a mesma.

Vamos então começar, dando um passo de cada vez.

A mulher inteligente sabe que...

Os homens precisam aprender a ouvir as mulheres; as mulheres precisam aprender a ouvir os homens; e todos nós precisamos aprender a ouvir nossas vozes interiores, que, na maioria das vezes, são as mais claras de todas.

A mulher inteligente sabe que...

Todo mundo enfrenta dificuldades nos relacionamentos; esta é uma regra sem exceções.

- Não importa quanto dinheiro você tenha.
- Não importa quanta fama você tenha.
- Não importa quanta inteligência você tenha.
- Não importa quanto talento você tenha.
- Não importa quanta intimidade você tenha com os homens mais famosos do mundo.
- Não importa se você é brilhante, escultural ou deslumbrante.
- Não importa quantas vezes você tenha se casado, em quantas capas de revista tenha aparecido, ou se é a mulher mais sexy do planeta.
- Não importa nem mesmo se você é uma especialista em questões ligadas a relacionamento (como nós, modestamente, nos consideramos).

A mulher inteligente sabe que...

Os foguetes que vão para a Lua chegam lá em etapas. Por que deveria ser diferente com os relacionamentos?

Antes de prosseguirmos, precisamos deixar uma coisa bem clara. Quando falamos em relacionamento, não estamos nos referindo a algo pronto, mas a etapas necessárias para construir uma verdadeira relação. Você não começaria a leitura de um romance na página 100, não abriria um jantar com uma fatia de torta de nozes, tampouco iniciaria uma corrida a apenas 10 metros da linha de chegada. Por mais ansiosa que esteja para ter dois ou três filhos e viver feliz para sempre, você precisa ter consciência de que um relacionamento real é um exercício em desenvolvimento. Um relacionamento real é um processo que se inicia quando você conhece alguém e vai se revelando para essa pessoa. Isso significa desenvolver confiança, respeito e intimidade entre os dois. Significa caminhar em direção a um compromisso verdadeiro – um caminho que se percorre lenta e cuidadosamente.

A mulher inteligente sabe que...

O que funciona em um relacionamento de 10 anos não vai funcionar logo no primeiro encontro.

O que parecia engraçadinho no primeiro encontro não é necessariamente agradável dois anos depois.

Primeira etapa

A apresentação

Mito: Foi amor à primeira vista.

Realidade: Em vez de amor, escreva: a-t-r-a-ç-ã-o. Às vezes ela dura. Em geral, não.

A mulher inteligente sabe que...

Por *mais* poderosa que seja a atração,
por *mais* especial que seja a química
e por *mais* promissor que seja o potencial,
conhecer um outro ser humano é um
processo que não pode ser acelerado.

A mulher inteligente sabe que...

Encontrar e manter um amor duradouro requer um grande investimento.

A cada ano publicam-se dezenas de livros sobre questões ligadas a relacionamento. As revistas femininas dedicam várias páginas a esse assunto todos os meses. Aos 31 anos, Sheila se sente como se tivesse lido a maioria desses textos. Além disso, sempre que há na TV um debate interessante sobre relacionamento, sua mãe o grava e o envia para ela.

O fato é que Sheila tem vergonha de admitir quanto tempo já perdeu tentando descobrir como fazer um homem – ou os homens em geral – gostar dela. Mas, até agora, o cuidado excessivo com sua aparência, com o que ela diz ou faz não produziu o resultado desejado. Isso não significa que os homens não a achem atraente e simpática. Eles acham. Mas ela já teve muitos primeiros encontros que não se transformaram em segundos encontros, muitos segundos encontros que não se transformaram em terceiros encontros, muitos terceiros encontros que não se transformaram em relacionamentos e muitos relacionamentos que acabaram precocemente.

Sheila quer desesperadamente um relacionamento duradouro e satisfatório. Ela deseja ter filhos e uma família. Mas para isso precisa de um companheiro, e isso significa um homem, porque ela é heterossexual. Às vezes, sente vontade de gritar. Mas Sheila está querendo um milagre. Ela deseja um relacionamento que se desenvolva de maneira fácil e rápida. Ela parece desconhecer que os relacionamentos não funcionam assim. Pelo menos os relacionamentos que dão certo.

Muitas mulheres pensam como Sheila. Elas dizem: "Ele é um homem; eu sou uma mulher; sentimos atração um pelo outro. O resto não deveria ser fácil?" Bem, às vezes talvez seja, mas freqüentemente o relacionamento não decola, e tudo o que resta é a recordação de um encontro ruim ou de um momento infeliz que encerrou as possibilidades de quaisquer encontros futuros.

É claro que alguns relacionamentos simplesmente não estão destinados a acontecer. Mas há muitos que poderiam se transformar em algo especial se tivessem uma chance. O que acontece com os namoros que parecem tão cheios de potencial, mas se desfazem rapidamente? São muitos os inícios promissores que têm fins abruptos.

O início é difícil. Quando duas pessoas começam a sair, elas têm poucas raízes em comum para mantê-las juntas quando surgem as dificuldades. Por isso, qualquer passo "fora dos limites" tem um peso muito maior e pode levar a um rompimento. No início da relação, nenhum dos dois se dispõe a dar ao outro uma verdadeira oportunidade. Parece que todos têm um detonador de reações. Um passo em falso, um movimento equivocado, uma palavra infeliz, e um dos participantes desse relacionamento incipiente pensa: "Vou cair fora." Nesse momento, todo o potencial deixa de existir.

As mulheres precisam tomar muito cuidado nas suas primeiras avaliações porque, de modo geral, os únicos homens que não dizem nem fazem nada errado são os paqueradores profissionais. Eles sempre falam e fazem a coisa certa. Pelo menos no início. O único erro que você pode cometer é ser enganada por toda essa amabilidade.

Os homens também correm o risco de cair nessa mesma armadilha. Eles freqüentemente ficam encantados com mulheres que não têm o menor escrúpulo de dizer e fazer exatamente o tipo de coisas que todo homem quer. Eles se deixam seduzir por elas e muitas vezes dão as costas para mulheres sinceras que não são profissionais na arte da sedução.

Todos os começos são revestidos de rituais e fantasias. O início é uma parte necessária do processo, e, se não houver elementos suficientes de atração, o entusiasmo e o interesse tendem a diminuir com rapidez. Mas, por mais complexos, exigentes e extenuantes que sejam os começos, eles continuam a ser apenas isso – começos. E se você tiver a sorte de vencer essa primeira fase, parabéns! Mas pode estar certa de que desafios ainda maiores a aguardam.

Os inícios são excitantes. Os inícios são assustadores. Os inícios são divertidos. Ocasionalmente, também são desconcertantes, embaraçosos e, muitas vezes, decepcionantes. No entanto, por mais difícil que possa ser em algumas ocasiões, o namoro ou a paquera é um processo de que o ser humano tem forte necessidade. Assim que você jura que nunca mais vai sair com um desconhecido você se vê de novo nervosa, brincando com os cubos de gelo no seu copo de refrigerante, olhando de esguelha para o homem atraente do outro lado do bar e se perguntando se talvez – apenas talvez – poderia ser "aquele".

Isso certamente é possível. Mas também pode ser outra coisa. Talvez esse homem vá se tornar um novo amigo, talvez seja um cara excelente para apresentar você a uma outra pessoa. Talvez sair com ele abra as portas para uma fantástica oportunidade de negócio. Talvez seja só um romance de verão. Ou, até mesmo, talvez venha a ser *aquele*. Quem sabe?

A mulher inteligente aconselharia Sheila a pensar em maneiras de criar oportunidades e abrir o leque de possibilidades. As mulheres precisam parar de pensar em casamento assim que começam a sair com um homem e curtir os namoros tal como são no presente – apenas namoros, uma chance de se conhecerem melhor. O futuro irá se construindo se elas agirem com inteligência.

A mulher inteligente sabe que...

O primeiro passo para estabelecer um relacionamento duradouro é desenvolver uma atitude realista.

Os homens gostam de mulheres que sabem distinguir mito de realidade.

Mito: Foi "amor" à primeira vista.

Realidade: Você estava carente. Todos temos dentro de nós espaços vazios que esperam ser preenchidos. Porém, nem todo recheio é bom para o seu coração.

Mito: Foi "amor" à primeira vista.

Realidade: Foi um impulso irresistível. Mesmo quando ele começou a revelar seu verdadeiro "eu", você fez questão de não ver, porque queria conservá-lo.

Mito: Foi "amor" à primeira vista.

Realidade: Foi conveniente. Você chegou àquele ponto da vida em que desejava muito encontrar um companheiro. E era ele quem estava disponível.

Mito: Foi "amor" à primeira vista.

Realidade: Foi apropriado. Ele tinha todas as credenciais (mas só isso). Seus pais estavam entusiasmadíssimos (mas não se tratava da vida deles). Você precisa de um relacionamento, não de um currículo.

Mito: Foi "amor" à primeira vista.

Realidade: Foi lagosta e champanhe. Ele gastou uma fortuna no restaurante e você ficou deslumbrada. Teria sido mais fácil rachar a conta.

A mulher inteligente sempre mantém pelo menos um pé firmemente apoiado no chão.

No início de um relacionamento, a mulher inteligente sabe como se manter alerta.

Quando ela está conhecendo um potencial candidato a namorado, a mulher inteligente permanece...

• *Cautelosa*

Interessar-se em saber do que os homens gostam não significa que você deve se esquecer do que deseja e precisa. Quando conhece um homem, você não tem como saber – mesmo que o ache charmoso e sensacional – se ele é de fato bom para você. Portanto, não se apaixone tão depressa, não vá para a cama com tanta rapidez, e mantenha todas as suas antenas autoprotetoras ligadas. O seu coração e a sua vida são muito preciosos. Dê a eles a atenção que merecem.

• *Solícita*

Pense nos sentimentos de vocês dois – os dele e os seus. Pense nas inseguranças dos dois – as dele e as suas. Pense nas vulnerabilidades – as dele e as suas. Seja amável com ele. E com você também.

• *Consciente*

Quando se trata de amar, muitas mulheres se deixam envolver totalmente pela ilusão e fantasia. Às vezes, quando achamos que estamos nos apaixonando por uma pessoa, estamos realmente nos apaixonando pelo amor. Não se deixe entusiasmar a ponto de não conseguir distinguir amor de atração, amor de carência, amor de insegurança, amor de fantasia, amor de questões financeiras, amor de status ou amor de solidão.

- *Transparente*

A mulher inteligente é sempre leal a seus próprios princípios. Ela não finge ser diferente do que é, e procura agir e falar de acordo com sua verdade. Ela sabe do que precisa e sabe manifestar suas necessidades de forma direta e sincera. Com suavidade, mas com firmeza.

A mulher inteligente sabe que...

Não precisa de um vidente para
dizer o que é bom para ela;
basta prestar atenção.

Mito: Todos os homens são imbecis.

Realidade: Nem todos os homens são imbecis, assim como nem toda loura é burra. Mas, na hora da raiva, você só se lembra dos imbecis.

A mulher inteligente sabe que...

Os homens gostam de mulheres que não acham que os machos são alienígenas.

Quer esteja se preparando para uma noite em casa com seu marido, para sair com alguns rapazes do escritório, ou para um excitante primeiro encontro, você não terá que lidar com um ser extraterreno. Se deseja criar um relacionamento com um homem, você precisa saber mais sobre ele. Quando fizer isso, descobrirá que a maioria das preferências, das aversões, das necessidades e dos desejos dele é muito semelhante aos seus. Portanto, dispa-se de suas defesas e armaduras e abra-se para conhecer e compreender o "outro" sexo de uma maneira que faça você se sentir mais igual a ele, em vez de diametralmente oposta.

A mulher inteligente sabe que...

Se você acha que os homens e as mulheres pertencem a planetas diferentes, você precisa de um telescópio mais possante.

Se você acha que todos os homens são iguais, você precisa de um microscópio mais possante.

A mulher inteligente sabe que...

Os homens gostam de mulheres que constroem pontes, e não paredes.

Recentemente, Artur, de 33 anos, saiu com uma mulher chamada Maria. Ele a achava linda e desejava conhecê-la melhor. Mas, durante o encontro, os comentários negativos sobre os homens que ela não parou de fazer eram tão agressivos que ele começou a se aborrecer. Ao observar o comportamento de Maria, outra mulher poderia perceber que seu objetivo ao falar essas coisas era receber apoio do homem com quem estava – "você é diferente dos outros", ela estaria querendo dizer. Mas Artur não se deu conta da vulnerabilidade que havia por trás das observações dela. Ficou chocado com sua hostilidade. Ele diz que não agüenta mais a maneira como as mulheres criticam os homens. Para ele isso funciona como uma ducha fria. Aqui estão algumas dessas frases fatais:

- Todos os homens parecem bebês de colo.
- Os homens só estão interessados em sexo.
- Os homens só estão interessados em futebol.
- Os homens só estão interessados em encontrar seus amigos.
- Os homens estão mais interessados em ganhar dinheiro do que em formar uma família.
- Os homens nunca ouvem o que as mulheres dizem.

- Os homens não falam.
- Os homens nunca conversam sobre seus sentimentos.
- Todos os homens precisam ser treinados.

Quando Artur era mais jovem e uma mulher de quem ele gostava fazia essas observações negativas, ele logo procurava mostrar que era diferente. Agora, quando ouve uma dessas frases, ele se retrai imediatamente. Acha que as mulheres que usam esse tipo de críticas genéricas são insensíveis e superficiais.

Artur diz que deseja construir um relacionamento mais sólido com uma mulher que procure conhecê-lo, em vez de ir logo rotulando. Ele tem consciência de que muitos homens correspondem de certa maneira à descrição de Maria, mas que há inúmeras exceções, entre as quais ele se inclui. Artur deseja uma companheira que esteja aberta para conhecer suas qualidades e seus limites. Uma companheira que o ajude a crescer.

Se você quer fazer generalizações sobre os homens, experimente algumas destas frases:

Você fica nervosa, ele também.
Você tem metas, ele também.
Você tem sonhos, ele também.
Você tem defeitos, ele também.
Você tem necessidades, ele também.
Você se magoa, ele também.
Você tem uma história pessoal, ele também.
Você quer ser compreendida, ele também.
Você quer ser amada, ele também.

A mulher inteligente sabe que...

Estereótipos masculinos negativos não são construtivos – a não ser que você esteja tentando levantar obstáculos à intimidade.

Os homens gostam de mulheres que sabem distinguir...

...o homem que joga tênis do homem que vive para o tênis.

...o homem que gosta de carros do homem que trata o carro dele como se fosse uma noiva.

...o homem que se entusiasma com o próprio trabalho do homem que não se entusiasma com coisa alguma.

...o homem que adora uma pelada do homem que mora no estádio.

...o homem que aprecia futebol do homem que quer decorar a casa com fotografias do time dele.

...o homem com quem ela está de qualquer outro.

A mulher inteligente sabe que...

Esteja você usando um modem para se conectar à internet ou discando um número em seu moderníssimo telefone celular, um telefonema é apenas um telefonema, é apenas um telefonema...

Há cerca de cinco segundos, o telefone de Helena começou a tocar. É Alex, o amigo de um amigo, que está ligando para dizer que quer conhecê-la. Para isso propõe um encontro. Ela estava esperando o telefonema deitada confortavelmente no sofá, vestindo jeans e camiseta, bebendo um refrigerante dietético. Embora não esteja exatamente nervosa, ela certamente sabe que há algo em jogo. Segundo seu amigo, Alex está "pronto para alguma coisa séria". Ela também está pronta para alguma coisa séria. Será o destino ou o quê?

Helena espera gostar de Alex e espera que ele goste dela. Portanto, o que deve dizer e como? O que a mulher inteligente sabe sobre esse importantíssimo primeiro contato telefônico com um homem que acabou de conhecer?

- *A mulher inteligente sabiamente faz com que o primeiro telefonema seja breve e gentil.*

Sim, todos nós já ouvimos falar de pessoas que se conheceram pelo telefone, que passaram horas conversando e viveram felizes para sempre. Mas conversas longas com alguém que você nunca viu podem ser também um prenúncio de desastre.

Se Helena parasse e pensasse sobre isso por um minuto, ela se lembraria de Felipe, o último desconhecido com quem saiu. A primeira vez que ele ligou, os dois conversaram durante horas. Depois, quando se encontraram, ela não se sentiu nem um pouco atraída por ele. Mas, como já tinha revelado muito sobre ela mesma e ouvido muito sobre ele, sentiu-se obrigada a sair com Felipe várias vezes. É assim que pessoas totalmente erradas uma para a outra às vezes acabam em um mau relacionamento.

Sim, é gostoso estar confortavelmente sentada conversando pelo telefone. O aconchego do ambiente de casa contribui para estabelecer uma falsa intimidade que chega muito antes do tempo. A mulher inteligente lhe diria que, ao conversar pela primeira vez com um homem que mal conhece, você deve se cercar de cuidados. E que é importante que a primeira conversa aconteça em um ambiente onde você possa ter uma visão mais clara da energia dele, da maneira como olha nos seus olhos (ou desvia o olhar) e da linguagem corporal dele. Essa é também uma forma de se proteger de homens que aprenderam a se "vender" bem pelo telefone. A mulher inteligente sabe que a "química ao telefone" nem sempre se transforma em química real.

- *A mulher inteligente não usa o telefone para tentar impressionar um homem que ela nunca encontrou pessoalmente.*

Em situações novas, às vezes tentamos dizer coisas que dêem a impressão de que somos fantásticas. Talvez você seja realmente fantástica, mas, se tentar transmitir isso pelo telefone, o homem poderá achar que você é muito convencida, muito difícil de agradar ou muito insegura. A mulher inteligente sabe que as pessoas que mais impressionam são aquelas que não tentam impressionar ninguém.

- *A mulher inteligente não se deixa impressionar muito depressa por um homem que nunca viu.*

Sabe quando você vai ao cinema e assiste ao trailer de um filme que parece tão maravilhoso que mal pode esperar para vê-lo? E, quando finalmente assiste ao filme, você percebe que os melhores momentos foram incluídos no trailer, e o resto do filme é muito pouco interessante? Alguns homens são assim. Causam a melhor das impressões no primeiro contato, mas o resto – tal como no filme – é muito sem graça. A mulher inteligente sabe que não se julga um filme pelo trailer, como não se julga um homem pela primeira conversa, seja ela boa ou má.

- *A mulher inteligente não se deixa colocar na defensiva.*

Aqui vai uma regra básica: se um homem que você mal conhece começa a colocar você na defensiva ou a leva a provar suas qualidades, caia fora. A mulher inteligente sabe que, se ela começa a se colocar na defensiva ou a ter que provar seu valor, o homem provavelmente está sendo ofensivo.

- *A mulher inteligente não coloca o homem na defensiva fazendo inúmeras perguntas sobre a vida dele.*

Os homens odeiam quando as mulheres lhes fazem perguntas muito diretas e pessoais. Eles interpretam isso como uma espécie de processo de seleção, como a primeira entrevista de um candidato a um emprego – nem um pouco divertido! Interrogar um bandido é uma coisa; interrogar um possível namorado é outra.

- *A mulher inteligente não aceita conversas sobre sexo que a fazem se sentir desconfortável.*

Só porque ele introduziu o assunto, isso não significa que você precisa dar continuidade. Em geral, as pessoas que fazem isso consideram o sexo a principal prioridade. Se você não pensar da mesma forma, não se envolva. A propósito, outra regra básica: não aceite nada que lhe cause desconforto.

- *A mulher inteligente não inicia conversas sobre sexo com um estranho.*

Sim, você pode querer que ele a ache atraente, mas essa não é a maneira de lançar o anzol. Praticamente todos os peixes morderão essa isca, inclusive aqueles que não servem para nada. É também muito importante saber que, para um homem bem-intencionado, esse tipo de atitude pode servir tanto de chamariz como de sinal de perigo. Além disso, a mulher inteligente sabe que ela está procurando criar primeiro um vínculo humano, e não um vínculo físico.

- *A mulher inteligente sabe escolher um assunto leve.*

Leve é a palavra importante aqui. Você não quer sobrecarregar essa conversa com temas pesados, especialmente traumas do passado ou esperanças para o futuro. Portanto, limite-se ao momento presente, e faça com que ele seja agradável. Não procure exaustivamente interesses comuns, ligações poderosas ou sinais claros de que o encontro de vocês vai ser especial.

A mulher inteligente sabe como marcar o encontro, dizer que ela o aguarda com alegria e, em seguida, *desligar o telefone.*

A mulher inteligente sabe que...

Os homens gostam de mulheres que
têm confiança suficiente nelas mesmas,
e por isso não precisam se esforçar
muito para agradar.

A mulher inteligente sabe que...

Se você se deixar ficar para trás, não irá a lugar nenhum.

~

Helena e Alex tiveram os contatos iniciais e vão sair juntos pela primeira vez. Ela está bastante otimista. Ele parece ser um homem interessante. Ela mal pode esperar para conhecê-lo melhor, e por isso está caprichando no visual para essa saída. Há cinco dias, come pouquíssimo para tentar emagrecer um pouco. Fez as unhas, usou um condicionador novo que garante "aumentar o brilho", depilou as pernas e passou bastante hidratante no corpo porque está convencida de que nenhum homem quer uma mulher com pele seca e áspera.

Neste exato momento, ela está colocando um vestido preto justo que realça suas pernas macias, hidratadas e cobertas por um caro par de meias. Mas, apesar de todo esse esforço, ela está esquecendo uma coisa – e não é o desodorante. O que é que ela está esquecendo? Em uma palavra: Helena.

Ela se envolveu tanto externamente nos preparativos para a saída com Alex, que se esqueceu de ficar conectada à sua própria essência. O que Helena precisa fazer é sentar, respirar fundo e pensar em quem ela é, no que é importante para ela e no que valoriza.

É claro que os preparativos para uma primeira saída são divertidos e excitantes, mas toda essa excitação pode fazer uma mulher de 90 anos se comportar como uma imatura jovem de 14. Não importa a idade, de repente o foco parece cair sobre as questões físicas – a espinha inesperada, o cabelo rebelde ou as estrias visíveis. A mulher inteligente sabe que não é inteligente se preocupar tanto com a aparência exterior e com o local aonde você irá. Esse tipo de pensamento pode deixá-la insegura e vulnerável, levando-a a achar que seu valor depende de esse homem gostar ou não de você. Este tipo de pensamento pode fazê-la sentir-se bem se ele se mostrar atraído, e mal se isso não acontecer. Esse tipo de pensamento não é inteligente, e a deixa desprotegida.

A mulher inteligente lhe diria que você precisa manter o equilíbrio, até mesmo em um primeiro encontro. Se você se concentrar apenas na aparência externa, não conseguirá obter as informações realmente importantes sobre esse homem e sobre o que ele pensa em relação à vida. Você quer descobrir quem ele é e também – de uma maneira simpática – deixar claro quem *você* é.

A mulher inteligente sabe que quer ser lembrada sobretudo pelo que *é*, e não por sua aparência ou por sua roupa. Ela sempre procura se conectar à própria essência antes de se olhar no espelho e sair de casa.

A mulher inteligente sabe que...

> Quando você sente atração por um homem, é fácil perder de vista o que é realmente importante.

É por isso que a mulher inteligente tem uma lista de mandamentos que a ajudam a manter o equilíbrio. Clara é realmente uma mulher inteligente. Veja aqui o que ela diz para si mesma antes, depois e, às vezes, no decorrer de cada encontro.

Os 10 mandamentos de uma mulher inteligente

1. Os meus valores são importantes para mim e não esquecerei deles, mesmo se o homem for muito atraente.
2. Procurarei me manter equilibrada e no controle da minha vida, mesmo se o homem for muito atraente.
3. Não abrirei mão de meus princípios, mesmo se o homem for muito atraente.
4. Para me proteger, ficarei atenta a qualquer dúvida e preocupação que eu possa ter a respeito dele, mesmo se o homem for muito atraente.
5. Jamais agirei impensadamente, mesmo se o homem for muito atraente.
6. Sei que as fantasias me desequilibram, e por isso não começarei a tecer fantasias sobre o futuro, mesmo se o homem for muito atraente.

7. Se não der certo, é porque não tinha que dar.
8. Se não der certo, não é porque existe alguma coisa errada comigo.
9. Se não der certo, poderei aprender alguma coisa com essa experiência.
10. Se ele parece bom demais para ser verdade, provavelmente é isso mesmo.

A mulher inteligente sabe que...

Os homens gostam de mulheres que não interferem na avaliação que eles fazem delas.

Você mal o conhece; talvez vocês tenham apenas conversado por alguns minutos. No entanto, você quer se certificar de que ele não dá importância a superficialidades. Você quer ter certeza de que não será rejeitada por aquilo que você considera serem os seus defeitos. Por isso, a primeira coisa que você faz é fornecer um resumo das suas imperfeições. Uma estratégia prudente? Não, na nossa opinião. Em vez de notar as suas qualidades, ele pode se fixar nas falhas que você lhe mostrou. Aspectos que ele talvez nem tivesse percebido passam a ser prioritários. E podem se tornar tão primordiais para ele quanto parecem ser para você.

Não cabe a você dizer para um homem quanto "é imperfeita". Principalmente porque você não tem a menor idéia do que ele considera importante. Coisas que você acha horríveis podem ser insignificantes para ele. Ou agradáveis. Ou absolutamente adoráveis. Quando vocês se conhecerem bastante – o que pode levar 10 ou 20 anos –, você descobrirá tudo sobre o assunto. Enquanto isso, guarde as suas inseguranças para você mesma.

A mulher inteligente não chama a atenção do homem para o que ela acha que são seus próprios defeitos.

Ela não fala sobre...

...suas pequenas rugas.

...suas manchas de pele.

...seu nariz imperfeito.

...seu corpo imperfeito.

...sua falta de estilo.

...como as outras mulheres parecem mais jovens.

...a inveja que ela sente de mulheres obviamente bonitas.

...como ela se sente velha.

...como ela imagina estar começando a parecer velha.

...a magreza das outras mulheres.

...a quantidade de peso que ela precisa perder.

...como ela fica inchada durante a menstruação.

Mito: Um bom relacionamento deveria dar um "clique" imediatamente.

Realidade: Muitas mulheres confundem o "clique" de uma boa conexão com o "tiquetaque" de uma bomba-relógio que está apenas esperando o momento certo para explodir.

O "clique" entre duas pessoas pode acontecer por todos os motivos certos ou por todos os motivos errados, e muitas vezes é difícil distinguir esses motivos. No início, existem sons mais importantes a serem ouvidos, como os da sinceridade, da integridade e do verdadeiro interesse. Além disso, para cada história que ouvimos sobre relacionamentos que deram o "clique" bem no início, ficamos sabendo de muitos outros relacionamentos que levaram meses, ou até mesmo anos, para de repente "clicar".

A mulher inteligente sabe que...

Os homens gostam quando uma mulher tem o bom senso de pedir sua *própria* porção de batatas fritas – não importa quão apetitosa esteja a *dele*.

A mulher inteligente sabe o que fazer para que o primeiro jantar não se transforme na última ceia.

Vanessa e Joel estão jantando no jardim de um bonito restaurante. A noite vai caindo, há uma suave brisa marinha, e em volta piscam pequenas luzes. O ambiente é encantador e a música, envolvente. Eles chegaram há pouco mais de uma hora, e ele está louco para ir embora. Vanessa lhe causa um desagrado indefinível e ele só consegue pensar na tensão em seus ombros e no seu coração angustiado.

Para começar, quando o cardápio chegou, ela hesitou por uns bons oito minutos tentando decidir entre o peito de galinha grelhado com coentro ou o peito de galinha assado com tomilho e salsinha. Quando o garçom perguntou se ela queria batata assada ou arroz como acompanhamento, Vanessa disse que não comia carboidrato de espécie alguma. E em seguida atacou a cesta de pães. O garçom precisou enchê-la umas duas vezes, e agora parece evitar a mesa deles. Enquanto cata os pedacinhos de pão, ela olha a batata assada de Joel com imenso desejo. Ele não se lembra de já ter sido olhado dessa maneira por uma mulher. Seu instinto de sobrevivência o induz a defender o perímetro do seu prato e proteger sua comida.

Bem, qualquer mulher acharia a reação dele exagerada, mas Joel não sabe disso. Quando olha para Vanessa, consegue entrever o triste futuro que iriam compartilhar se acabassem juntos. Fica imaginando os anos dolorosos à espera das decisões dela, o diâmetro crescente da cintura e, por fim, uma briga de vida ou morte por causa do macarrão. Talvez o quadro seja caricato, mas aproxima-se bastante da realidade.

~

As mulheres não percebem, mas, quando os homens as levam para jantar fora pela primeira vez, até os mais simpáticos do mundo provavelmente estão com as antenas totalmente ligadas para examinar e interpretar cada gesto e movimento. Divisão da conta – pelo menos um movimento nesse sentido –, interesse em escutar, bons modos à mesa, capacidade de tomar decisões, educação, aparência, hábitos de limpeza, administração do tempo. É óbvio que, se um homem é demasiadamente crítico, não há nada que você possa fazer. Mas é muito diferente quando a mulher de fato ultrapassa o limite.

A mulher inteligente sabe que os homens tendem a ficar alertas a qualquer mulher...

- que pede para trocar de mesa com uma inexplicável urgência.
- que começa a reclamar do primeiro ao último minuto (está quente demais, frio demais, abafado demais, barulhento demais, desanimado demais, apimentado demais, muito sem graça, cheio demais...).
- que devolve o vinho sem nenhum motivo aparente.
- que toma a iniciativa de fazer o pedido – vinho, entrada, sobremesa.
- que despreza a própria comida e fica comendo a dele.
- que mexe sem parar no cabelo.
- que não pára de olhar o salão e seus ocupantes.

- que compara o restaurante (desfavoravelmente) a todos os seus lugares favoritos.
- que reclama... e reclama... e reclama.
- que passa tempo demais no banheiro.
- que recebe ou faz ligações pelo celular.
- que pede os itens mais caros do cardápio.
- que fala sem parar sobre absolutamente nada.
- que mal abre a boca.
- que discute ou trata os funcionários do restaurante com aspereza.
- que reclama em voz alta da mulher que está sentada diretamente atrás dela.
- que retoca compulsivamente a maquiagem.
- que mancha a roupa e passa o resto da refeição tentando remover a mancha.
- que conversa mais com as pessoas da mesa ao lado do que com o homem com quem está.
- que revela sua necessidade de controlar, pedindo ao garçom para reajustar a música, o ar-condicionado, a luz, sem pedir a opinião do seu companheiro de mesa.
- que faz perguntas sobre todos os ingredientes de cada prato como se tivesse alergias mortais.

A mulher inteligente sabe qual é a diferença entre:

...ser divertida e ser frenética.

...ser nervosa e ser neurótica.

...ser ela mesma e se exceder.

Muitos homens se sentem lesados por mulheres que se mostram mais interessadas em uma boa refeição do que em um bom relacionamento. A mulher inteligente não avalia o homem pelo restaurante ou bar que ele escolhe. Há muito mais coisas a serem conhecidas para começar a fazer uma avaliação. Por outro lado, homens pouco interessados em ter um relacionamento significativo podem levar as mulheres com quem estão saindo aos melhores lugares da cidade porque sabem que isso *dá a entender* que as estão levando muito a sério. Você precisa prestar menos atenção no local e no cardápio e ficar mais atenta à qualidade e ao conteúdo do seu primeiro encontro. E vale a pena pensar em pagar a sua parte para começar em uma base mais equilibrada.

A mulher inteligente nunca, jamais se afasta das coisas que a tornam especial.

A mulher inteligente sabe que...

Os homens de qualidade gostam de mulheres que parecem ter vida própria.

Joana tem uma vida muito atribulada. Ela quer ser pintora e, como leva isso a sério, gasta boa parte de seu tempo livre pintando. Para se sustentar, trabalha como designer. Tem muitos amigos que a adoram, e milhares de interesses. Gosta de música, dança muito bem, sabe velejar, esquiar, jogar tênis, se interessa por política e pelo que está acontecendo no mundo. No entanto, se você a visse ao lado de um homem, não perceberia nada disso.

E sabe por quê? Porque Joana mantém a idéia antiquada de que deve construir a sua vida ao redor de um homem. Por uma série de razões complicadas, Joana está presa ao mundo da sua infância.

Embora se considere uma mulher moderna, emocionalmente ela acredita que deve largar tudo por um homem. E é assim que ela age. Se você encontrá-la sozinha ou com algumas de suas amigas, verá uma pessoa independente e dinâmica. Mas, se encontrá-la com um homem, vai ver uma pessoa dependente e retraída. Esse é o lado secreto de Joana. Parece que, quando ela está com um homem, o restante de sua vida passa a ser negociável e dispensável.

Essa dicotomia em sua personalidade tem lhe causado muitos problemas com os homens. Em geral, eles se sentem atraídos pela moça comunicativa e expansiva que conheceram. Gostam dela porque parece ser muito extrovertida e criativa. Mas, logo depois, ela se transforma numa pessoa diferente e às vezes, sem entender por que, esses mesmos homens perdem o interesse.

A mulher inteligente sabe que...

Se amanhã você abrir mão de tudo para ficar com o homem que ama, não estará pensando em depois de amanhã.

Se você não valoriza quem você é e o que tem a oferecer, não espere que alguém vá fazê-lo.

Se está seriamente decidida a desistir de tudo pelo homem que ama, você está vivendo no século errado.

A mulher inteligente sabe como dizer "não" mesmo quando seu corpo está gritando "sim".

A mulher inteligente sabe que...

Os homens gostam de mulheres que não têm medo de ter medo da intimidade sexual.

Débora está caminhando de mãos dadas com seu instrutor de tênis em uma praia. É a primeira noite das tão sonhadas férias que ela vinha se prometendo há dois anos e meio. Sopra uma suave brisa marinha, as estrelas brilham e a temperatura da água é perfeita. O nome dele é Ricardo. É louro, de olhos azuis, mais de 1,80m de altura, e Débora tem quase certeza de que ele quer ir para a cama com ela. A certeza se torna absoluta quando *ele sugere um mergulho no mar!!!* Quinze anos antes, ela talvez tirasse a roupa em um minuto. Entretanto, as mulheres inteligentes sabem que os tempos mudaram, e não se esquecem disso.

Enquanto isso, Teresa, uma amiga de Débora, está enfrentando uma situação igualmente conflitante. É a primeira vez que ela sai com um homem fantástico, e mal pode acreditar no que está acontecendo. Eles jantaram fora, depois foram tomar um café e agora estão sentados no sofá da casa dela.

Teresa se sente como se conhecesse esse homem há muito tempo, e não quer que a noite acabe. Ele a beija, e ela não quer que o beijo termine. Sabe que existe uma maneira certa de garantir que a noite se estenda por mais tempo. Sabe também que, se ela não parar agora, vai ser muito difícil não ir até o fim.

Teresa e Débora estão vivendo situações um pouco diferentes.

Teresa sonha com uma vida cheia de jantares compartilhados; Débora sonha com 10 dias de *piñas coladas* e uma carona para o aeroporto. No entanto, nesse momento, o que está em jogo é exatamente o mesmo para ambas: deve-se ter intimidade física com um homem praticamente estranho?

Não queremos arruinar as férias de Débora, e não queremos jogar água fria nas fantasias matrimoniais de Teresa. No entanto, a verdade é:

> *Você não pode se dar ao luxo de fazer sexo com um estranho, por mais que esteja se sentindo atraída por ele, por maior que pareça ser o potencial de um relacionamento com ele, por melhor que seja o seu currículo. O fato é: um estranho continua sendo um estranho.*

Débora precisa começar a pensar com a cabeça. É bem provável que ela esteja com um homem que caminhou nessa mesma praia com muitas outras mulheres em muitas noites perfeitas. Mesmo que não esteja envolvida emocionalmente e não tenha maiores expectativas, a regra para os tempos atuais é: ao fazer sexo com outra pessoa, você automaticamente se expõe não só a ela, como a todo o seu histórico de risco de contrair DSTs (doenças sexualmente transmissíveis).

Assim como sua amiga, Teresa precisa levar em consideração todos os riscos para a saúde que podem estar envolvidos numa relação física. Mesmo que tenha a sensação de conhecer esse homem há séculos, ela não sabe detalhes da história sexual dele.

Além disso, ela precisa levar em consideração um outro aspecto: o de estar se expondo emocional e fisicamente. Ela não tem informações suficientes sobre esse homem, sobre seus valores e suas intenções, para se jogar na cama com ele. Ela nem mesmo sabe se ele a admiraria mais por *não* se jogar na cama com ele. A mulher inteligente quer primeiro conhecer bem o homem, para ter uma idéia mais precisa de quantas parceiras ele já teve, de como ele trata o próprio corpo e de como anda a saúde dele. Ela quer saber se essa intimidade tem para ele o mesmo significado que tem para ela. Em suma, quer se sentir segura emocional e fisicamente quando resolver ir para a cama com ele.

Ele pode ser totalmente sincero e correto. Ele pode ter resultados negativos para todas as DSTs conhecidas. Ele pode estar louco por você. Ele pode ser tudo aquilo que você já quis em um homem. Ele pode ser o supra-sumo. Ele pode ser o rei da Inglaterra. Mas nada disso significa que você tem que ir para a cama com ele. Você não *tem que* ir para a cama com quem quer que seja até que esteja pronta.

A responsabilidade sexual precisa acompanhar a liberdade sexual. Além de tudo, a mulher inteligente sabe que é responsável por ela mesma. Isso significa que ela se cuida, quer proteger sua saúde, seus sentimentos e seu futuro. O sexo altera com muita rapidez a relação. Certifique-se de que o relacionamento é suficientemente forte para suportar essa mudança. E, enquanto isso, pratique dizer "não".

A mulher inteligente sabe como dizer "não" sem dizer "nunca".

- Ela não tem medo de dizer "Não estou pronta".
- Ela não tem medo de dizer "Ainda não".
- Ela não tem medo de dizer "Precisamos conversar".
- Ela não tem medo de dizer "Quero conhecê-lo melhor".
- Ela não tem medo de dizer "Quero que você *me* conheça melhor".

A mulher inteligente sabe que...
Os homens gostam de mulheres que não enviam sinais confusos.

~

Nem todo homem ou mulher pode ou deve tentar compor uma sinfonia a dois. No entanto, às vezes é difícil dizer isso – principalmente quando a pessoa que está na sua frente parece estar sentindo uma química que você não compartilha. Só porque ele acha que vocês dois formam um bom par, isso não significa que você precisa concordar, ou agir como se concordasse. Sentir pena dele e tentar protegê-lo enviando sinais confusos só irá complicar mais as coisas e deixá-lo mais confuso ainda. A mulher inteligente não fica sentada com um ar angelical quando tudo o que realmente quer é ir para casa, *sozinha*.

A mulher inteligente sabe qual é a diferença entre um beijo de boa-noite e um longo beijo de despedida.

~

A mulher inteligente sabe que pode abraçar a sua sexualidade sem jamais se sentir pressionada a abraçar um estranho.

~

A mulher inteligente nunca se deixa cegar pelo desejo a ponto de pular antes de olhar.

A mulher inteligente sabe que...

Por mais que pergunte "Você está usando alguma coisa?", você não está realmente tendo uma conversa sobre sexo.

Se você não conhece um homem suficientemente bem para conversar sobre sexo seguro com ele, então não o conhece suficientemente bem para *fazer* sexo com ele. Você sabe disso e a grande maioria dos homens também. Eles sabem dos riscos que correm e dos cuidados que precisam tomar. Em geral, não sabem como abordar a questão do sexo seguro, mas ficarão agradecidos se a mulher for suficientemente sensata e equilibrada para se proteger no campo sexual. Porque, dessa forma, ela também o estará protegendo. Em outras palavras, conversar sobre sexo seguro não vai fazer com que um homem bom rejeite você.

A conversa sobre sexo deve acontecer enquanto vocês estão totalmente vestidos, de preferência em um lugar onde nenhum dos dois sinta a tentação de tirar qualquer peça de roupa. As cafeterias, durante o dia, são boas opções. Aqui estão alguns pontos que devem ser discutidos: todos os riscos sexuais, inclusive o de gravidez, e as doenças sexualmente transmissíveis.

Será que um dos dois já se expôs a alguma dessas doenças? Se esse for o caso, antes de vocês terem relações sexuais, é preciso procurar um médico. De qualquer modo, vale a pena fazer uma consulta antes de iniciar um relacionamento sexual, para providenciar um atestado de saúde que inclua o resultado negativo do teste de HIV. Pode parecer exagero, mas tenha certeza de que não é.

Nós sabemos perfeitamente bem que uma conversa desse tipo é embaraçosa, desconfortável e desagradável. E talvez não seja nem um pouco romântica. No entanto, é fundamental. E muito inteligente.

A mulher inteligente sabe que não quer se tornar uma estatística. Ela não tem medo de dizer "não" a sexo de alto risco.

- Ela diz "não" a qualquer homem que se recusa a discutir DSTs.
- Ela diz "não" a qualquer homem que se recusa a discutir controle da natalidade.
- Ela diz "não" a qualquer homem que se recusa a usar camisinha.
- Ela diz "não" a qualquer homem que promete que "vai tirar antes da hora H".
- Ela diz "não" a qualquer homem que está dormindo com outras mulheres.
- Ela diz "não" a qualquer homem que está dormindo com outros homens.
- Ela diz "não" a qualquer homem que se recusa a fazer teste de HIV.
- Ela diz "não" a qualquer homem que se recusa a revelar o resultado do seu teste de HIV.

A mulher inteligente só diz "sim" se for um sim muito bem informado.

A mulher inteligente sabe que...

Só porque você disse "sim" no passado, isso não significa que não possa dizer "não" no presente.

~

Camila tem um problema. Ela é uma mulher sofisticada, mas se sente boba e infantilizada quando quer dizer não. Era mais fácil alguns anos atrás, antes de ter tido relações sexuais, porque podia dizer aos homens que era virgem. Essa parecia ser uma desculpa válida que todos compreendiam. Agora, ela não é mais virgem. Portanto, qual é a desculpa?

A mulher inteligente sabe que...

Ela não precisa de uma desculpa para dizer "não" ao sexo. Ou a qualquer outra coisa.

A mulher inteligente sabe que...

Existe uma enorme diferença entre uma noite inesquecível e um homem inesquecível.

~

Ainda que tenha sido uma noite inesquecível, talvez ele seja um homem que você precisa esquecer.

A mulher inteligente sabe que um homem gosta de uma mulher que...

...aprecia a sua sensibilidade sem depreciar sua sensualidade.

...admira o bíceps dele, mas prefere o cérebro dele.

...sabe que ele não é o Super-homem e não o culpa por isso.

A mulher inteligente sabe que...

Os homens gostam de mulheres que dão mais valor à beleza interior do que à exterior.

O telefone de Luísa está tocando, e ela não tem certeza se deve atendê-lo, porque sabe quem é. É Jorge, um homem que ela conheceu em uma festa há algumas semanas. Ele já telefonou outras vezes, e ela não sabe ao certo o que fazer. Uma parte dela deseja que ele simplesmente pare de procurá-la, e outra parte gosta de conversar com ele. Os dois têm muito em comum, ele é divertido e muito inteligente. Então, qual é o problema? O problema é que ele está longe de ser bonito. Longe mesmo.

E o que acontece é que Luísa está preocupada com o que as pessoas pensarão se ela for vista com um homem que não irradia carisma e sensualidade. Luísa afirma que quer um relacionamento duradouro com um homem bom. No entanto, não está realmente claro se Luísa reconheceria um homem bom se visse um.

O que ela precisa fazer é olhar ao seu redor e ver como são os homens bons. Ela precisa olhar os homens que estão nos supermercados com suas famílias, nos campos de golfe com seus amigos, em restaurantes com suas esposas, e em praias, parques ou jardins zoológicos com seus filhos. Poucos desses homens se parecem com os modelos dos anúncios de camisas de grife. E Luísa precisa saber que isso é uma coisa boa e não uma coisa ruim.

A mulher inteligente sabe que...

Você não pode procurar um relacionamento da mesma maneira que procura artigos no supermercado. Mas você pode procurar um relacionamento *enquanto* procura artigos no supermercado.

A mulher inteligente sabe que os homens gostam de mulheres que sabem qual é a diferença entre...

...um primeiro encontro e uma consulta com o terapeuta.

...um primeiro encontro e uma sessão com o grupo de apoio.

...um primeiro encontro e uma revelação no confessionário.

Quando Lílian pensa em um amor duradouro, ela deseja um homem que seja como um melhor amigo, alguém com quem ela possa compartilhar todos os seus segredos. Ela quer saber se o homem com quem está a aceitará como ela é e como se sente.

Para Lílian, uma saída perfeita é aquela na qual ela e o homem conversam, conversam e conversam. Se ela gosta de um homem, ela quer que ele a conheça *realmente*. Ela quer lhe falar de suas inseguranças e ansiedades, quer contar seus problemas com a mãe, sua ligação com o pai, e até o caso secreto com o vizinho casado, quando tinha 18 anos. Afinal, ela pensa, como duas pessoas podem se conhecer se não contam *tudo* uma para a outra?

Nós concordamos que homens e mulheres que querem se comprometer podem se "abrir" um com o outro. Há um grande conforto nesse tipo de companheirismo; parte do processo de criar intimidade significa compartilhar com o parceiro coisas que você não compartilharia com outra pessoa, ou talvez com ninguém. Eis aqui o problema: quando você conhece um homem há pouco tempo, é totalmente inadequado compartilhar com ele os detalhes mais confidenciais da sua mente, da sua família, ou a minuciosa descrição dos seus ciclos bioquímicos.

Para o homem comum, esses tipos de revelações "prematuras" dão a impressão de que você está bastante descontrolada. É óbvio que muitos homens não a impedirão de dizer tudo o que você quiser. Alguns não a impedirão simplesmente porque não saberão como. Outros poderão até encorajá-la, mas talvez estejam se aproveitando da sua vulnerabilidade.

E é claro que existe também um número razoável de homens capazes de fazer revelações inadequadas, e isso pode estimulá-la a fazer o mesmo. *Uma palavra amiga:* esses homens não estão necessariamente em busca de intimidade. Na realidade, após uma ou uma série de conversas particularmente reveladoras, eles podem fugir, assustados com a própria abertura.

Tendo tudo isso em mente, a mulher inteligente não se deixa envolver em conversas íntimas inadequadas com muita rapidez. Não queremos dar a impressão de que esses assuntos jamais devem ser mencionados. Eles são importantíssimos. Mas é preciso esperar até vocês dois se conhecerem mais... muito mais.

A mulher inteligente sabe que há coisas que ela não deve discutir com um homem até os dois se conhecerem melhor. Por exemplo:

- O temperamento violento de seu ex-namorado.
- Suas experiências sexuais.
- Seu divórcio.
- Seus traumas de abuso sexual.
- Seus distúrbios alimentares.
- Seus transtornos psíquicos.
- Seus conflitos familiares.

- Seu histórico de consumo de álcool ou drogas.
- Sua ficha médica.
- Seu trato gastrointestinal.
- Sua luta inútil com a TPM.
- Suas preocupações com a menopausa.
- Suas freqüentes infecções vaginais.
- Sua conta bancária sem fundos, seus cartões de crédito com limites estourados ou qualquer dívida financeira não quitada.
- Os constantes problemas de seu irmão (ou qualquer outro membro da família) com a justiça.
- Suas próprias batalhas judiciais.
- Seu interesse pelas ciências ocultas ou pela feitiçaria (a menos que vocês dois o compartilhem).

Embora quase todos esses assuntos possam tornar as conversas interessantes, eles serão um motivo de preocupação para muitos homens. Todas as pessoas têm problemas, mas quando os menciona durante os primeiros encontros, você pode dar a impressão de ter perdido o controle em todas as áreas de sua vida. Se você conversa sobre isso com uma pessoa que mal conhece, o homem comum fica imaginando o que você contaria para alguém que você conhece bem. Se é assim que você age com um estranho, o homem comum ficaria pensando o que poderia haver de "especial" e sagrado entre vocês dois.

A mulher inteligente...

...não expõe sua vida como um livro aberto, embora esteja disposta a compartilhar algumas páginas.

...não expõe sua vida como um livro aberto até ter certeza de que ele está interessado nessa leitura.

A mulher inteligente sabe que...

Todos os homens já tiveram encontros horrorosos, mas ela não quer ser lembrada como um deles.

Você se lembra de ter tido muitos "encontros ruins"? É claro que sim! Pois saiba que os homens solteiros passam pelo mesmo tipo de experiência. Vamos analisar algumas situações do ponto de vista masculino.

Ao falar com Patrícia por telefone, Marcus achou que os dois tinham muitas afinidades. Mas, durante o encontro, viu que não era bem assim. Ele conta:

"Eu me orgulho muito do meu apartamento novo, e por isso achei que seria legal convidá-la para conhecê-lo numa tarde de domingo. Pensando bem, agora percebo que ela talvez tenha se aborrecido porque não a convidei logo para jantar fora. Mas imaginei que se nos déssemos bem, poderíamos sair para jantar depois de ela conhecer meu apartamento.

Durante a visita ao apartamento, ela não fez nenhum comentário positivo. Não disse nada. Quando mostrei os armários de cozinha que eu mesmo tinha feito, tudo o que ela conseguiu dizer foi 'Eu acho que eles ficariam melhor se fossem pintados de outra cor'. De repente, eu me vi pensando que talvez eu ficasse mais feliz se ela fosse de outro jeito.

Pode ser que eu seja demasiadamente sensível, mas achei que se ela não compreendia o duro que eu tinha dado para reformar meu apartamento, também não iria compreender nada a meu respeito."

~

David conheceu Alice em uma festa de Natal e convidou-a para ir com ele a um jantar oferecido por um amigo no começo de janeiro. Como a festa seria mais perto da casa de David e ambos estariam vindo do trabalho, decidiram se encontrar na casa dele para irem em apenas um carro. Ele conta:

"Claro que notei que ela estava bebendo muito vinho durante o jantar, mas ela parecia perfeitamente bem e totalmente sóbria. Quando serviram o café, vi que ela continuava bebendo vinho. Pouco depois ela começou a discutir com um cara por causa de um filme que ele havia detestado e ela havia amado. Aí, achei que estava na hora de ir embora. Voltamos para o meu apartamento para pegar o carro dela, e quando chegamos em casa, ela tinha apagado. Eu a carreguei para dentro, coloquei-a no sofá e fiz um pouco de café, que ela não quis beber. Por fim, sugeri que ela dormisse na minha cama enquanto eu dormiria no sofá, porque ela não estava em condições de dirigir.

Deitei no sofá, e cerca de uma hora depois acordei com ela em cima de mim, totalmente por cima de mim. Apesar de achá-la muito atraente, eu não queria fazer sexo naquelas condições – ela ainda estava muito bêbada. Quando disse que devíamos parar, ela ficou uma fera e insistiu para que eu a acompanhasse até o carro. Já eram três e meia da madrugada. Achei que ela estava suficientemente sóbria para dirigir, mas mal me deitei, meu telefone tocou. Ela havia dirigido apenas alguns quarteirões quando se sentiu mal. Saí da cama mais uma vez, fui buscá-la, ajudei a estacionar o carro e levei-a para casa – que ficava a cerca de 30 minutos da minha casa."

~

Daniel convidou Amélia para jantar fora, mas, quando foi

buscá-la, ela insistiu para que ficassem em casa, e disse que cozinharia. Daniel conta:

"Ela era uma péssima cozinheira, e a comida estava horrível. Ela disse que queria ficar em casa para assistir a uma ópera na televisão. Eu tinha planejado um jantar legal num bom restaurante, e acabei sentado no sofá da casa dela, comendo uma carne com gosto esquisito, assistindo Pavarotti ou algum outro cara cantando – logo eu, que odeio ópera. E ela ainda tinha três gatos que não paravam de pular em cima de mim."

A mulher inteligente sabe que...

Os homens gostam de mulheres que são sensíveis a seus interesses, seus planos e seus amigos.

Roberto e seu amigo Paulo saíram com mais de 20 mulheres no último ano. Ambos dizem a mesma coisa: se durante os primeiros encontros a mulher se comportar de um modo que os faça imaginar que um possível relacionamento seria irritante demais, eles as descartam e não as convidam para sair outra vez. Muitos homens pensam dessa maneira, e as mulheres freqüentemente não sabem o que foi que fizeram para produzir tal aversão. Isso é particularmente verdadeiro em relação aos primeiros encontros, quando todos tiram conclusões precipitadas. Se um homem considera o comportamento da mulher com quem saiu muito problemático, é quase impossível fazê-lo mudar de idéia.

A mulher inteligente sabe que certos comportamentos não são agradáveis nem inteligentes.

Alguns exemplos:

- Ele a convida para ir a um evento ecológico, em que os participantes passarão o dia ao ar livre, sentados na grama. Você aprecia a natureza, mas não a ponto de querer passar o dia em um parque. Você aparece de sapato de salto alto, e após o que considera uma quantidade de tempo apropriada, sugere uma ida a um restaurante para almoçar. Afinal, o importante era estarem juntos. Certo?

- Ele lhe pede para se encontrar com ele em seu restaurante *favorito* que você considera um pé-sujo. Ao chegar lá, suas primeiras palavras são "Estou morrendo de fome. Será que não há um lugar melhor onde possamos comer?"

- Vocês fazem planos para ir à praia. Você chega sem biquíni, sem toalha e sem protetor solar.

- Vocês concordam em se encontrar para pegar a sessão das 7h no cinema. Você aparece às 7h25.

- Ele a convida para ir a uma festa porque quer lhe apresentar alguns de seus amigos mais chegados. Depois de meia hora, você começa uma discussão áspera com um dos amigos dele, porque diverge de suas posições políticas.

- Ele a convida para ir a um restaurante maravilhoso e caro para comemorar uma promoção no trabalho. Ele chega primeiro e espera por você para ajudá-lo a escolher o vinho. Você se senta e diz que acabou de começar uma dieta. Só irá tomar chá e comer uma salada bem leve.

A mulher inteligente sabe que...

Os homens gostam de mulheres que não se candidatam ao cargo de esposa na primeira saída.

Amanda quer muito encontrar um marido. Acha que se sairia muito bem na função de esposa. Ela se considera compreensiva, meiga, prestativa, divertida, sexy, inteligente e quer compartilhar essas qualidades com um homem carinhoso e formar com ele uma família. Por mais fabulosa que seja (e ela é realmente fabulosa), se não mudar suas táticas de conquista, talvez nunca consiga uma oportunidade para utilizar qualquer um de seus excelentes talentos.

Nos momentos iniciais de seu primeiro encontro romântico, Amanda faz tudo para provar que ela seria uma esposa maravilhosa. Ela não percebe como suas intenções são óbvias e capazes de fazer qualquer homem se sentir desconfortável.

Sim, é ótimo que ela queira se casar, mas não é apenas um encontro que irá determinar isso. Pelo menos, esperamos que para o bem dela – e o dele – isso não aconteça. Portanto, por que Amanda insiste em tentar inserir a agenda matrimonial o tempo todo na conversa? É surpreendente a competência dela em desviar o assunto para destacar suas boas qualidades de esposa. Por exemplo:

Ele diz: "Adoro massa."

Ela diz: "Sei fazer alguns pratos de massa deliciosos. Você vai amá-los."

Ele diz: "Meu primo Douglas está tendo problemas com a esposa."

Ela diz: "As mulheres não deveriam se comportar assim. Eu jamais faria isso."

De inúmeras maneiras, sutis e não tão sutis, ela sempre tenta insinuar que seria uma companheira excelente. A mulher inteligente sabe que o primeiro encontro é apenas uma oportunidade de se conhecerem. Nada mais. A tentativa de provar sua "vocação para esposa" transforma o primeiro encontro em uma entrevista para um cargo. E esse é um jeito muito ruim de começar.

Quando está com um homem que conhece há pouco tempo, a mulher inteligente...

...não se derrete para todos os bebês engraçadinhos que vê.

...não passa a noite inteira falando sobre compromissos.

...não fica repetindo que gosta muito de crianças.

...não usa o próprio guardanapo para limpar o rosto dele.

...não passa a noite inteira falando sobre todos os seus amigos casados.

...não o convida para visitar seus amigos casados.

...não se oferece para pregar o botão que está solto na camisa dele.

...não se oferece para passar a roupa dele.

...não tenta tirar a mancha de comida da gravata dele.

...não se oferece para limpar o apartamento dele.

A mulher inteligente sabe que as mulheres que se candidatam à função de esposa no primeiro encontro raramente conseguem o cargo.

A mulher inteligente sabe que...

Muitos homens, até mesmo os bons, não apreciam as mulheres prontas a se entregar sem antes fazer perguntas.

Tiago, Rafael e Mateus estão sentados conversando sobre uma mulher com quem Rafael começou a sair há pouco tempo. Vamos ver o que eles dizem:

Tiago: – E aí, o que está acontecendo entre você e a Carolina? Vi vocês na festa da noite passada, e ela parecia muito a fim de você.

Rafael: – É, mas isso está me preocupando. Não sei bem até onde eu quero que esse relacionamento vá. Nós nos conhecemos pouco e, para dizer a verdade, não sei se temos os mesmos interesses. Não me compreenda mal, gosto muito de estar com ela, mas não quero desapontá-la.

Tiago: – O que é que você vai fazer?

Rafael: – Tenho pensado sobre isso. Acho que vou tentar vê-la menos.

Mateus: – Gostaria que esse fosse o meu problema com a Beth. Sei que ela me ama, mas está me pressionando demais.

A mulher inteligente sabe que...

Às vezes, dar menos traz mais proveito do que dar mais.

A mulher inteligente sabe que...

Os homens desconfiam de mulheres que se interessam rápido demais.

Carolina tem um problema que merece ser discutido aqui porque é semelhante ao de muitas mulheres. Quando acha que alguém gosta dela, ela retribui muito depressa – *depressa demais, na realidade*. Às vezes retribui mesmo quando não tem certeza de que gosta realmente do cara. Esse impulso incoercível sufoca os mecanismos capazes de protegê-la.

Por exemplo, quando ela conheceu Rafael – um homem alto e muito atraente – numa festa, algo no jeito dele a fez pensar: "Conheço esse tipo de homem e não gosto dele." Mas então ele atravessou a sala para falar com ela. No início, ela se agarrou aos sentimentos de desconfiança iniciais. Isso a fez parecer distante, e ele precisou se esforçar para conseguir captar-lhe a atenção. Mas, à medida que ele foi falando, ela foi cedendo, e acabou aceitando o convite dele para sair.

No meio do primeiro encontro, Carolina tinha passado de gelada para morninha, e no fim da noite já estava pronta para avançar para outro estágio. Acontece que a intuição dela estava certa: Rafael é um homem muito problemático, e, como muitos homens difíceis e complicados, valoriza mais as mulheres quando precisa se esforçar para mantê-las interessadas.

Talvez, se Carolina tivesse esperado um pouco antes de aceitá-lo e aprová-lo incondicionalmente, ele a valorizasse mais. Mas ela não fez isso, e agora está com um problema.

Aqui vai uma regra:

> A mulher inteligente sabe que...
> Para a maioria dos homens, intensidade demais cedo demais é excessiva para eles digerirem.

Lembre-se sempre de que, até o relacionamento amadurecer um pouco, vocês dois ainda estarão se conhecendo. Por mais que você deseje que isso seja diferente, por mais que queira derrubar imediatamente todas as barreiras, o processo não funciona assim. Vocês ainda não formam um verdadeiro casal, e é preciso agir de acordo com essa situação. Você não pode se mudar para a vida dele da noite para o dia, e não deveria começar a ajudá-lo a encher o caminhão de mudança com muita rapidez – mesmo que ele lhe peça para fazê-lo.

No início, a escolha do momento apropriado é fundamental. Qualquer gesto prematuro, mesmo o mais bem-intencionado, pode causar suspeita. Para muitos homens, atenção em demasia cedo demais passa a idéia de carência e não acrescenta nada. Não se trata de certo ou errado. Trata-se de momento certo versus momento errado. Trata-se de reação apropriada versus reação inapropriada. Trata-se de ir devagar, mesmo quando a convidam para ir depressa. Para muitas mulheres, essa é uma lição difícil de ser aprendida, por um bom motivo: tradicionalmente as mulheres foram condicionadas a fazer exatamente o oposto.

A mulher inteligente sabe que...

Quanto mais rápido você quer ir, mais precisa *desacelerar*.

~

Ao desacelerar, você não tem nada a perder e tudo a ganhar.

~

Quanto mais ele tenta acelerar o relacionamento, mais você precisa *desacelerá-lo*.

A mulher inteligente tem força, lucidez e confiança para deixar o relacionamento evoluir pouco a pouco – como deve ser.

A mulher inteligente sabe que...

Os homens gostam de mulheres que não os assustam.

Embora muitos homens tenham a capacidade de ser parceiros carinhosos e pais bons e compreensivos, eles preferem se ver como pessoas independentes e fortes que estão no comando dos próprios destinos. A palavra crucial aqui é *controle*. Embora muitos homens acabem se tornando parceiros maravilhosos, poucos conseguem "formar parcerias" com facilidade. O medo de perder o controle do ritmo da evolução do relacionamento faz com que muitos apertem o botão do pânico no momento em que sentem que as coisas estão indo depressa demais. Às vezes, isso acontece até mesmo quando é o homem que insiste numa maior intimidade e aproximação.

Em algum ponto do relacionamento, o homem comum ficará extremamente preocupado em "ir devagar", "manter uma certa distância", "ter cuidado", "não deixar o relacionamento avançar demais" e se assegurar de que seu comportamento não está sendo "mal interpretado". É um fato incontestável que muitos homens se apavoram com bastante facilidade. As mulheres odeiam ouvir isso, e nem sempre acreditam que seja verdade. Embora sua função não seja proteger essas mentes masculinas "sensíveis", você deveria olhar atentamente o homem que está a seu lado, porque para alguns o menor indício de pressão causa verdadeiro pavor.

Ao contrário das mulheres, são poucos os homens que gostariam de ser conquistados e transportados para um mundo de enormes responsabilidades, fraldas, sogras, prestações caras e futuras mensalidades escolares. Isso não significa que eles não vão querer essas coisas um dia. Mas *um dia* não é hoje nem amanhã. Tudo isso deve acontecer devagar. Bem devagar.

A mulher inteligente sabe que...
Qualquer atitude que passe a idéia de "cedo demais" vai fazer um homem sentir que não está controlando seu próprio destino.

A mulher inteligente sabe que...
Para muitos homens, sexual demais cedo demais é demais.

~

Carlos e Miranda se conheceram numa festa na semana passada, e agora estão sentados em um restaurante bebendo café expresso e dividindo uma deliciosa torta de chocolate com sorvete de baunilha. Enquanto vê Miranda saborear voluptuosamente a torta, Carlos vai criando fantasias tremendamente excitantes.

Espere aí! *O que é que ela está fazendo?* Ela está fitando os olhos dele. Veja, ela está cortando a torta com a colher, está acrescentando um pouco de sorvete e levando até a boca dele. Agora, ela está colocando a colher de volta na boca. Ela a está lambendo. Ela parece excitadíssima. Será que isso é um convite? Para hoje à noite? Carlos decididamente pretende descobrir. Não era isso que ele queria? Então, por que se sente tão desconfortável? Por que está começando a achar que preferiria ir para casa assistir televisão?

Carlos acha que suas reações em relação às mulheres são bem normais. Quando ele conhece uma mulher, seus pensamentos imediatamente rumam em uma das duas direções – sexo ou casamento. Na sua cabeça, ele se vê geralmente conjeturando sobre como essa mulher será na cama e como companheira. No entanto, embora esteja sempre imaginando o futuro, ele parece desconfiar de uma mulher que demonstre fazer o mesmo. Para dizer a verdade, isso o assusta.

Em geral, as mulheres não vêem Carlos como o tipo de homem que se assusta com facilidade. Ele parece confiante e seguro.

Parece experiente e inteligente. Parece perspicaz e bem informado sobre as mulheres. Ele até surfa e faz pesca submarina. No entanto, na verdade, ele se assusta – assim como a maioria dos homens.

Se, por exemplo, ele sai com uma mulher que o trata como se o conhecesse há meses, quando o conhece há apenas poucas horas, ele se pergunta o que há de errado com ela, e fica assustado. Se ela o conhece há apenas algumas semanas e já está agindo como se fosse uma antiga parceira, sua melhor amiga ou sua esposa – muito antes de ele achar que essas possibilidades deveriam ter passado pela cabeça dela –, *isso o assusta.*

Quando conhece uma mulher, ele precisa de tempo para deixá-la entrar em seu mundo, e quer que ela leve algum tempo para deixá-lo entrar no dela. Uma intimidade indevida ou uma sexualidade inadequada – *não importa quanto ele possa estar encorajando isso* – faz com que ele sinta que a mulher não está se relacionando com Carlos, mas com um candidato a marido que está na cabeça dela. Faz com que ele sinta que ela não o vê, não o ouve e não o compreende tal como ele é, além de não ter nenhum interesse real em fazê-lo. Ele pensa que não é possível que ela esteja reagindo a *ele*, porque ela ainda não o conhece suficientemente bem. Em geral, em um nível sutil, quando uma mulher reage a ele com muita intensidade e rapidez, ele interpreta a atitude dela como uma forma de carência ou desespero. *Isso o assusta mais ainda!* Ela pode achar que o está agradando, mas, na verdade, ela o está assustando.

O que é que causa tanto pavor? Miranda está apenas sendo sensual. Ele não quer uma mulher sensual? É claro que quer, mas ele não acha que ela esteja sendo apenas sensual. Ele acha que ela também está sendo controladora. Ela parece estar tentando controlá-lo no campo sexual, e isso o faz se perguntar quais serão os outros campos em que ela tentará controlá-lo. Ele começa a se sentir pressionado. Começa a achar que alguma coisa está sendo exigida dele. Começa a achar que ela está orquestrando a sedução e colocando a música alta demais.

A mulher inteligente sabe que...
Assim como as mulheres, os homens não gostam de se sentir pressionados sexualmente.

A mulher inteligente sabe que um homem gosta de uma mulher que quando diz que ele é um "cara legal", sabe do que está falando.

A mulher inteligente sabe que...

Os homens gostam de mulheres que não estão envolvidas com cafajestes.

Há dois anos, Gustavo conheceu uma mulher chamada Marina em uma discoteca. Dançaram juntos algumas vezes, e ele lhe deu carona para casa. Ao chegarem, descobriu que ela tinha um filho pequeno. Ele pediu o telefone de Marina e se ofereceu para levar para casa a mãe dela, que tinha ficado tomando conta da criança. Telefonou na semana seguinte e, embora Marina fosse muito simpática ao telefone, ela não aceitou o convite para sair. Por fim, contou que ainda estava envolvida em um relacionamento com um homem que a traía. Tinha ido à discoteca para tentar se vingar, mas não conseguira fazer isso. Disse que gostava do cara, e perguntou se poderia ligar para Gustavo caso a situação mudasse.

Cerca de um ano depois, ele a encontrou por acaso numa praia. Marina estava com o filho, e parecia muito perturbada. Enquanto conversavam, contou que ela e seu namorado tinham terminado recentemente – e dessa vez ela achava que era definitivo. Passaram a tarde juntos, e ele se esforçou para se dar bem com o menino que parecia um bom garoto, carente de atenção masculina.

Mais uma vez, Gustavo telefonou para Marina. Mais uma vez, ela adiou o encontro. Ele diz que já conheceu muitas mulheres como ela. São meigas, sinceras, boas, sensíveis e carinhosas. Porém, seus corações estão acorrentados a cafajestes que só sabem fazê-las sofrer. Se você sair com uma delas, no final da noite estará ouvindo histórias sobre como esse cafajeste arruinou seu aniversário, suas férias e sua vida. A experiência de Gustavo lhe ensinou que essas mulheres ficam tão concentradas em tentar agradar algum imbecil que não sobra nenhum espaço para um homem que queira desenvolver um relacionamento saudável com elas. Gustavo acha particularmente irritante a maneira como elas "cuidam" de seus cafajestes. Acha surpreendente a maneira como algumas mulheres se transformam em babás emocionais de canalhas que tripudiam sobre elas.

A mulher inteligente sabe que...

> Existe uma oferta limitada de homens decentes e carinhosos por aí. Se um deles cruzar o seu caminho, pare um instante e preste atenção.

A mulher inteligente não se deixa ligar quando percebe que um homem está pressionando todos os seus botões.

~

Quando Ana e Benjamin começaram a sair, ela estava certa de que aquele ia ser um relacionamento muito significativo. Mas ultimamente ele começou a fazer e a dizer coisas que a deixam ansiosa. Ana ainda não percebeu, mas a forma como Benjamin se relaciona com as mulheres tende a deixá-las inseguras. Nos primeiros encontros, o comportamento dele parece conter grandes promessas, mas depois ele recua. Este tipo de comportamento muito sutil "pressiona os botões" de uma mulher e a transforma em caçadora. Nesse exato momento, todos os botões de Ana estão pressionados. Ela está tentando fazer com que Benjamin cumpra as promessas que pareceu fazer.

O que ela precisa saber é que ele não é capaz de cumpri-las. E o estilo dele faz com que a mulher se sinta responsável pelo relacionamento, o que é uma forma de encobrir as deficiências dele. Por exemplo, apesar de raramente ser fiel, a maneira como ele age faz com que a mulher tente provar que tem mais valor do que as outras. Em vez de se dar conta dos problemas dele, ela se preocupa em mostrar que possui todas as qualidades desejáveis em uma mulher. Isso acontece com inúmeras mulheres que encontram homens como Benjamin. Ele consegue inverter as coisas de tal modo que Ana não se dá conta de que ele não vale todo esse esforço e dedicação. Em vez de se esforçar para provar o próprio valor, ela deveria olhar seu parceiro com mais cuidado.

A mulher inteligente nunca se preocupa tanto com a impressão que causa a ponto de não notar as imperfeições potencialmente fatais da outra pessoa.

A mulher inteligente sabe que...

A carência muitas vezes afasta um homem bom e atrai um cafajeste.

~

Já falamos sobre isso. Os mergulhadores sabem que, quando estão nadando em águas infestadas de tubarões, basta uma minúscula gota de sangue para atrair a atenção desses peixes. Para um tubarão, o sangue indica que a criatura está ferida e vulnerável, uma combinação que significa comida. Às vezes, o mesmo parece ocorrer nos relacionamentos. Muitas mulheres precisam sofrer para descobrir que, quando estão muito carentes, é grande a probabilidade de atraírem um tubarão.

A mulher inteligente...

- Não se coloca totalmente disponível para os outros quando precisa cuidar de si mesma.
- Não deixa seu sofrimento ser um farol para todos os navios piratas que estão ao redor.
- Não conversa com tubarões quando está se sentindo um peixinho.

~

A mulher inteligente sabe distinguir...

- O homem que está na pista de dança do homem que fica observando.
- O homem que gosta das mulheres do homem que se aproveita das mulheres.
- O homem que quer tê-la em sua vida do homem que quer tê-la aquela noite.
- O homem que joga tênis do homem que a trata como uma bola de tênis.

A mulher inteligente sabe que...

- Sua família não precisa ter a aparência da Família Monstro para parecer peculiar.
- Sua mãe não precisa ter a aparência da Cruela Cruel para parecer ameaçadora.
- Seu pai não precisa ter a aparência do Super-homem para parecer o maior do mundo.

~

Todos temos nossas histórias de família. Histórias engraçadas, tristes, loucas e assustadoras. Por achar que contando essas histórias ela consegue estabelecer um vínculo mais forte, uma mulher é capaz de soterrar um homem que acabou de conhecer com os assuntos de sua família. O que estamos querendo dizer é que histórias sobre sua mãe e seu pai que apenas apresentam um lado de suas personalidades podem fazê-los parecer esquisitos e assustadores. Histórias em excesso sobre sua família podem dar a entender que seus vínculos com ela são tão intensos que não há espaço para outra pessoa – especificamente o homem do outro lado da mesa.

Sim, seus laços familiares são importantes e, com o passar do tempo, todas essas histórias poderão ser compartilhadas. Mas não no início de um relacionamento, quando *ele* não *a* conhece suficientemente bem para vê-la como uma pessoa separada dos outros membros de sua família. Os homens podem concluir precipitadamente que os valores, preconceitos, deficiências, gostos, aversões e problemas de seus familiares são iguais aos seus.

Mesmo coisas que você considera maravilhosas podem intimidar alguém que ainda não a conhece. Aqui está um bom exemplo:

No primeiro encontro, André e Janete foram a um concerto e se divertiram muito. Descobriram que apreciavam o mesmo tipo de música, achavam graça nas mesmas piadas e gostavam de trabalhar com computadores. Assunto era o que não faltava! Agora, no segundo encontro, eles estão jantando em um restaurante. Falam sobre si mesmos, e quando a sobremesa chega, André está em dúvida sobre um terceiro encontro. O que será que Janete disse ou fez? Bem, vamos ver:

> *Janete:* Minha mãe é muito feliz com meu pai. Tudo o que eu desejo é ser um dia tão feliz quanto eles. Acho que é porque meu pai é muito romântico. Ele vive surpreendendo minha mãe com presentes. No ano passado, ele chegou em casa com uma pulseira de ouro e esmeraldas escondida em um pacote de biscoitos de chocolate. No inverno deste ano, trouxe um casaco de pele para casa, e escondeu-o debaixo do cobertor. Ela ficou na maior alegria!

Romântico? Para alguns, talvez. Mas a expressão que está surgindo na mente de André é *padrão de vida caro!* A história sobre os pais de Janete o faz acreditar que as expectativas dela não cabem na realidade financeira dele. Ele teme também que sua concepção do que é "ser romântico" seja bem diferente da dela. Para ele, ser romântico significa fazer uma caminhada tranqüila pela praia ao pôr-do-sol ou colocar uma inesperada declaração de amor dentro de um pequeno buquê de flores. E não inclui necessariamente casacos de pele e jóias.

A parte triste dessa história é que Janete ficaria entusiasmadíssima com qualquer uma das idéias românticas de André. E ela realmente não espera nem precisa de presentes caros. Se ele a conhecesse melhor, poderia apreciar as histórias da família dela mais facilmente. No entanto, nesse estágio inicial, essas histórias são enganadoras e intimidadoras.

A mulher inteligente sabe que...

Assim como as histórias de horror, as histórias sobre a família são divertidas quando contadas num grupo de amigos. No entanto, elas podem ser afugentadoras quando você as conta para um homem que mal conhece.

A mulher inteligente sabe que...

Os homens gostam de mulheres que *não* ficam obcecadas por eles.

A mulher inteligente sabe que durante um encontro...

Quando uma mulher se esforça demais, alguns homens ficam confusos.

~

Quando uma mulher se esforça demais, alguns homens ficam apavorados.

~

Quando uma mulher se esforça demais, alguns homens ficam gulosos.

~

Quando uma mulher se esforça demais, alguns homens ficam mimados.

~

Quando uma mulher se esforça demais, alguns homens se mandam.

A mulher inteligente sabe que...

Se você está tentando se vender, você está se vendendo barato demais.

~

Érica nunca tenta se vender no primeiro encontro, ou no segundo. Mas quando começa a gostar de um homem, alguma coisa acontece. Ela perde a confiança, perde o ponto de equilíbrio e perde a cabeça. Em vez de relaxar e deixar o tempo seguir seu curso, torna-se tão intensa em suas investidas que faz com que a dinâmica do relacionamento saia totalmente dos eixos. Por causa de sua insegurança, ela começa a tentar provar o quanto é legal, inteligente, talentosa, desejável e insubstituível.

A insegurança dela, por exemplo, às vezes a faz inventar desculpas para procurar um homem. Mais aflitivo ainda, ela fica de tal forma ansiosa que passa a maior parte do tempo pensando nesse homem e nas mil maneiras de fazer-se presente. Ela não consegue se controlar. Cartões, bilhetes, pequenos presentes, telefonemas. Se o homem de quem ela gosta pega um resfriado, manda caixas de remédios e de vitamina C; se ele fica trabalhando no escritório até mais tarde, manda biscoitos e café; se vai fazer uma viagem para o Caribe, manda protetor solar. Ela não quer que ele se esqueça dela, e precisa demonstrar que gosta dele.

Esse tipo de comportamento pode fazer com que a mulher mais desejável do mundo pareça carente e desesperada. E isso, por sua vez, pode fazer o melhor homem do mundo questionar o papel dela na vida dele. Afinal de contas, ele pondera, o que há de errado com ela para fazê-la pensar tanto em mim? Será que essa é uma variação da antiga frase de Groucho Marx "Eu não quero entrar para um clube que me aceitaria como sócio"? É bem provável. Isso faz parte da natureza humana? Com certeza. O fato é que quase todos nós subestimamos e depreciamos as pessoas que se esforçam excessivamente para que gostemos delas.

A mulher inteligente sabe que...

O assédio excessivo, o envio de bilhetes e a entrega de presentes são atitudes apropriadas em um relacionamento duradouro ou em um casamento, especialmente quando você está tentando aquecer o romance. No contexto de um relacionamento novo ou possível, isso pode facilmente ser interpretado como se você estivesse tentando desesperadamente provar alguma coisa a seu respeito.

A mulher inteligente nunca...

- Se comporta em qualquer encontro como se fosse o último.
- Trata qualquer relacionamento como se sua vida dependesse dele.

~

Isabela sempre teve sérios problemas relacionados a abandono, e está bem consciente disso. Quando tinha 20 e poucos anos, sempre que conhecia um homem que achava interessante, a mesma coisa acontecia: quando ele a deixava em casa, ela já estava se preocupando com a incerteza de um próximo telefonema dele. Era incrível! Em 24 horas, um homem que ela mal conhecia passava a ocupar seus sonhos, seus pensamentos e seus sentimentos. Em 24 horas, um estranho se tornava o assunto mais importante de sua vida. Será que isso era amor? Achamos que não.

A própria Isabela se dava conta da tolice que era conceder tanto poder a um estranho, e com um enorme esforço conseguia superar tal loucura. Mas superar traumas de abandono quando se tratava de relacionamentos mais sérios era algo bem mais difícil. Cada vez que Isabela se envolvia com um homem, todos os seus traumas de abandono vinham rapidamente à tona.

Como exemplo, vamos dar uma rápida olhada em seu relacionamento com Bruno. Todas as vezes que estava com ele, Isabela sentia uma enorme necessidade de tentar consolidar o relacionamento para sempre, e queria receber uma constante confirmação de que ele a amava. Era quase uma paranóia. Ele dizia que a amava, e uma hora depois ela começava a perguntar se ele *ainda* a amava. Quando ele ia embora, ela se angustiava pensando que ele poderia não retornar. Se ele só telefonasse de manhã, no fim da tarde ela entrava em franca ansiedade.

Como você pode imaginar, os traumas de abandono de Isabela eram conseqüências de traumas de sua infância. Diversas experiências dolorosas em seus primeiros relacionamentos como adulta reforçaram esses traumas. Por fim, seu medo de abandono era tal, que a ansiedade passou a controlar sua vida. Homens inteligentes percebiam isso rapidamente e a consideravam uma pessoa carente emocionalmente e muito incômoda.

A psicologia nos ensina que a evolução de um relacionamento é sempre um processo de conexão, desconexão e reconexão. As pessoas se aproximam e se afastam. Reencontram-se e separam-se novamente. E assim segue o processo. Por mais que possa ser desconfortável, não há escapatória – é a condição para que o relacionamento seja saudável.

Em nossas fantasias, às vezes nos vemos o tempo todo com a pessoa amada. Ou nos afastando dela apenas quando somos *nós* que queremos a separação. No entanto, não é assim que as coisas funcionam, por mais que alguém a ame e que o relacionamento seja bom. A verdade é que cada um precisa ficar algum tempo sem o outro. Cada um tem seu emprego, seus amigos, suas necessidades e seus gostos individuais distintos. Todas essas coisas exigem distanciamentos periódicos. Essa é uma verdade à qual você precisa se acostumar.

Essas separações momentâneas são particularmente difíceis para pessoas que possuem traumas de abandono gerados na infância. Mas, ao mesmo tempo, elas proporcionam uma oportunidade de lidar de maneira mais saudável com alguns desses traumas. Se você não consegue conviver com a ausência do homem que ama – se cada vez que ele se ausenta por mais de uma hora, você o imagina morto ou na cama de outra mulher –

você precisa fazer um tratamento sério. Não deixe de procurar ajuda para tomar consciência das maneiras pelas quais os traumas de abandono podem estar controlando a sua vida. Só assim você pode se curar.

Uma mulher inteligente não deixa seus fantasmas de abandono espantarem um possível parceiro.

~

A mulher inteligente sabe que, com exceção da cola Super-Bonder, nada consegue manter duas pessoas juntas o tempo todo.

A mulher inteligente...

- Nunca se sente "morta" quando o telefone não toca.
- Nunca acha que perdeu a conexão toda vez que desliga o telefone.
- Não sente necessidade de ouvir "eu te amo" de manhã, de tarde e de noite.

Lucas conheceu Paula numa festa, e ela lhe pareceu atraente e simpática. Quando ele telefonou para marcar um encontro, ela se mostrou bastante receptiva. Mas ele conta que, depois disso, seu interesse acabou, e que foi o comportamento dela ao telefone que o desestimulou.

Eles conversaram por telefone na terça-feira à noite, e combinaram um encontro em um bar na quinta-feira. Na quarta-feira, Paula telefonou para confirmar o encontro. Para Lucas, isso parecia desnecessário, já que tinham se falado na véspera. Ele estava concentrado em um trabalho e não tinha tempo para conversar quando ela telefonou. O tom distraído dele pareceu deixá-la ansiosa, e em vez de encerrar a ligação, ela ficou fazendo perguntas: "O que é que você está fazendo?", "Como é que você entra na internet?" "Há quanto tempo você está nessa empresa?" "Você gosta de trabalhar nela?"

A mulher desejável que ele conhecera na festa começou a parecer muito carente e dependente. Quando se encontraram no bar, ele voltou a achá-la atraente e charmosa. Quando se despediram, ele pensou que dentro de alguns dias provavelmente telefonaria convidando-a para um concerto na semana seguinte. Mas, quando entrou em seu apartamento, o telefone estava tocando. Era ela, telefonando do carro para dizer como tinha se divertido.

Isso o apavorou! Cenas do filme *Atração fatal* começaram a surgir em sua mente. Ele pensava: "Essa mulher nem sabe direito quem eu sou. Por que está agindo como se nós estivéssemos vivendo um romance tórrido?" Lucas se sentiu sufocado, e decidiu que a melhor coisa a fazer seria não sair mais com ela.

É claro que algumas mulheres diriam que ele estava sendo totalmente covarde. Mas, na realidade, Lucas é basicamente um cara legal que deseja ter um relacionamento normal com uma mulher normal. Para ele, uma carência excessiva parece assustadora. Não tem nada a ver com a imagem da mulher que ele quer ter como companheira. Sim, ele se sentira atraído por Paula, mas tomou uma decisão "prática" com base em pouca informação a respeito dela. Ele quer escapar antes que as coisas se compliquem, e acha que é isso o que vai acontecer se sair mais uma vez com ela.

A mulher inteligente sabe que...

Os homens bons se apavoram mais depressa do que os homens maus.

~

Se você sentir a compulsão de ter o amor do outro reafirmado incessantemente, é hora de procurar uma ajuda terapêutica.

A mulher inteligente não precisa consultar o relógio para saber que está na hora de dizer adeus.

A mulher inteligente sabe que...
Os homens gostam de mulheres que sabem como deixar algo para trás e seguir em frente.

Mas isso não é motivo para você agir assim! Quando um relacionamento não está acontecendo, quando um relacionamento não está dando certo, quando um relacionamento não é compensador, a mulher inteligente o deixa para trás e vai em frente. *Mas faz isso em benefício dela mesma, e não por causa de qualquer homem.*

Saber lidar com a rejeição e saber lidar com a decepção são duas das lições mais difíceis que qualquer uma de nós precisa aprender. E essas lições parecem estar atreladas a namoros e romances. A dura verdade é que nem todos os encontros se transformam em relacionamentos, nem todos os relacionamentos se transformam em casamentos, e nem todos os casamentos duram. Esses são fatos incontestáveis. Vejamos aqui outra realidade: quando um relacionamento não se transforma no que você quer que ele seja, você deveria ficar agradecida. Mais cedo ou mais tarde você chegaria à conclusão de que você e esse homem não eram adequados um para o outro.

Hoje em dia, nenhuma de nós precisa ficar presa a relacionamentos que não estão dando certo. Portanto, se o seu relacionamento não estiver funcionando, se o homem com quem você saiu uma única vez não telefonar convidando-a para uma segunda saída, se o homem com quem você dançou a noite inteira "perdeu" o seu telefone, se o homem que a abandonou era controlador, egoísta, infiel, indiferente, inflexível, hostil ou simplesmente insensível, você é uma mulher de sorte! Você foi salva! Você não vai precisar passar o resto da sua vida com um homem que não aprecia suas maravilhosas qualidades, a sua adorável essência, o seu lindo espírito ou a sua personalidade única.

É inevitável que você lamente a perda de uma pessoa querida. É inevitável que você não possa seguir em frente até ter digerido a experiência. Mas não fique obcecada e não se prenda. Repita muitas vezes que você foi abençoada, pois terá a oportunidade de começar de novo de maneira mais inteligente e sábia.

> A mulher inteligente considera todos os finais um prejuízo para *ele*.

A mulher inteligente sabe distinguir mito de realidade.

Mito: Era um amor que estava destinado a acontecer.

Realidade: Foram os hormônios. De tempos em tempos somos todos prisioneiros da nossa própria química. Mas fique certa de que na vida há muito mais do que moléculas.

Mito: Era um amor que estava destinado a acontecer.

Realidade: Era uma armadilha. Ele sabia o que você queria e deixou você acreditar que ele seria capaz de lhe dar isso. Mas fique certa de que ele não pode. E siga em frente.

Mito: Era um amor que estava destinado a acontecer.

Realidade: Foi um erro. Todos nós cometemos erros. Faz parte da condição humana. Não se culpe por isso, e pense que com a experiência você aprendeu uma lição.

Mito: Era um amor que estava destinado a acontecer.

Realidade: Foi por causa da lua e da música. Em um ambiente perfeito, ele pareceu perfeito. Mas muitas luas se passaram, e agora você pode se dar conta das ilusões que nos levam a mitificar as pessoas.

A mulher inteligente sabe que...

> Nunca é inteligente entregar todo o seu poder.
> Nunca é inteligente tampouco querer usurpar todo o poder dele.

A mulher inteligente sabe que...

Mulheres com altas exigências são como carros de manutenção cara: excelentes para se olhar, mas pouco práticas.

Gabriel diz que logo que começa a sair com uma mulher, ele quer ter certeza de que ela não se transformará em uma namorada "cara". Ele e seus amigos discutem isso freqüentemente. Todos querem se certificar de que as mulheres com quem vão ficar não farão exigências absurdas nem terão expectativas irracionais. Veja como ele explica isso: "Trata-se de uma regra de economia básica. A da oferta e procura. Eu não posso ficar com uma mulher que exige mais do que posso fornecer. A verdade é que algumas mulheres dão muito trabalho."

Gabriel e seus amigos acreditam que existem duas categorias distintas de "mulheres caras":

1. Mulheres que custam muito financeiramente

Algumas mulheres estão focadas em bens materiais. Leve-as para sair algumas vezes e você precisará pedir um empréstimo bancário. Gabriel e seus amigos dizem que têm as seguintes maneiras de verificar se são capazes ou não de manter uma mulher deste tipo:

- Quais são os restaurantes que ela escolhe? Quais são os pratos que pede?
- Ela parece preferir diversões mais dispendiosas a prazeres simples?

- Quem são os amigos dela? Quais as qualidades que ela valoriza neles?
- Ela usa roupas, sapatos e bolsas de grife?

2. Mulheres que custam muito emocionalmente

Algumas mulheres fazem exigências emocionais excessivas. Gabriel e seus amigos acham que elas são como crianças pequenas que estão sempre querendo colo. Veja aqui o que chama a atenção deles:

- Ela tem um milhão de crises e traumas que necessitam de cuidado?
- Ela insiste em ser o centro das atenções?
- Ela faz cenas e cria casos?
- Ela discrimina as pessoas?
- Ela faz exigências irracionais?
- Ela tem expectativas irracionais?
- Ela leva tudo para o lado pessoal?
- Ela parece frágil demais?
- Ela sempre precisa de alguém para defendê-la?

A mulher inteligente sabe qual é a diferença entre...

- Parecer sedutora e parecer extravagante.
- Parecer bonita e parecer arrogante.
- Ser interessante e ser cansativa.
- Ser engraçadinha e ser agressiva.
- Ser fascinante e ser manipuladora.

A mulher inteligente sabe que um homem quer estar com uma mulher que...

- Dá mais valor ao caráter do que à conta bancária dele.
- Prefere a companhia dele ao carro dele.
- Gosta mais da personalidade dele do que da carteira de ações dele.
- Aprecia mais o humor dele do que o apartamento dele.

A mulher inteligente sabe que...

Os homens gostam de mulheres que entendem o conceito de meio a meio.

Rodrigo, de 34 anos, diz que já teve relacionamentos que definiria como 70-30. Ele dava 70%, ela dava 30. Ele detestava essa situação. Diz também que já teve relacionamentos que classificaria como 30-70. Ele dava 30%, ela dava 70. Segundo ele, era uma sensação ainda pior. Ele gostaria de um relacionamento que fosse meio a meio. Um relacionamento onde houvesse um equilíbrio entre dar e receber, cuidar e ser cuidado, ajudar e ser ajudado, e entre amar e ser amado.

Rodrigo conta que muitas mulheres fazem e dão tanto que ele se sente sufocado, asfixiado e culpado. Ou dão e fazem tão pouco que ele se sente irritado e usado. Algumas mulheres parecem condicionadas a suprir todas as necessidades dos outros, enquanto que outras não tomam qualquer iniciativa e se deixam cuidar totalmente. Ele observa que nenhum desses estilos é equilibrado e, a médio prazo, nenhum funciona.

A mulher inteligente sabe que...

Construir um relacionamento afetuoso e sólido significa atingir um equilíbrio entre dar e receber.

A mulher inteligente sabe que...

Os homens gostam de mulheres que carregam a própria bagagem.

~

Luís diz que já saiu com várias mulheres, e que algo sempre dá errado, levando-o a romper o relacionamento. Trata-se da seguinte questão: por mais que uma mulher fale sobre direitos iguais, ela ainda quer ser tratada como se não fosse responsável por nada, muito menos pelos 50% da parceria.

Luís conta o que aconteceu com Sofia, uma antiga namorada. Quando o relacionamento já estava se desgastando, ela pediu o carro dele emprestado. Dois dias depois, terminaram o namoro. Foi preciso que ele telefonasse várias vezes para que, finalmente, ela devolvesse o carro. Para surpresa de Luís, a porta estava levemente amassada. Ele ligou reclamando, e Sofia mostrou-se aborrecida, acusou-o de ser mesquinho, e perguntou se ele mesmo não podia providenciar o conserto.

O que o aborreceu foi o fato de ela se recusar a assumir a responsabilidade. Ela havia pegado o carro emprestado, e o correto seria devolvê-lo em bom estado, ou mandá-lo para o conserto. Mas Sofia agiu como uma criança irresponsável e mimada, fazendo Luís perder o apreço que ainda poderia ter por ela.

A mulher inteligente sabe que...

Os homens têm dificuldade em beijar uma mulher que não pára de falar.

Mito: Os homens gostam de mulheres que lhes dão muito trabalho.

Realidade: Alguns homens gostam de mulheres que lhes dão muito trabalho. Mas esses homens não são necessariamente os mais saudáveis.

As mulheres muitas vezes se perguntam por que tantos homens parecem dar muito mais atenção às mulheres que os mantêm na dúvida e ligeiramente inseguros. Será que eles preferem de fato mulheres assim? Bem, a verdade é que, a longo prazo, os homens não preferem as mulheres que lhes dão muito trabalho. Mas, no início do relacionamento, muitos deles parecem demonstrar mais interesse por aquelas que se mostram um tanto distantes e misteriosas.

Mas será que esses homens interessam às mulheres inteligentes que gostam de si mesmas? Será que são homens capazes de admirar e valorizar profundamente as qualidades que ajudam a construir uma vida de verdadeiro companheirismo? Se não forem, afaste-se deles.

A mulher inteligente sabe que...

É isso mesmo! Se a única coisa que o faz ficar interessado em você é sua atitude distante e indiferente, ele certamente tem um problema. Fuja dele!

A mulher inteligente sabe quanto ela pode dar e quanto ela pode suportar.

A mulher inteligente sempre estabelece um limite. E ela deixa claro para o homem com quem está ou com quem sai qual é esse limite. Todas nós já ouvimos homens dizerem coisas como "Ah, claro que eu olho para outras mulheres, mas, se um dia eu fosse além disso, tenho certeza de que minha esposa iria embora", "Eu não jogo golfe aos domingos porque minha esposa acha importante passarmos o dia com os filhos", "Minha namorada é categórica sobre a divisão do trabalho doméstico – ela faz o jantar, eu lavo os pratos e limpo a cozinha. Nós dois achamos isso justo".

Esses homens não são dominados. Suas companheiras colocaram com a maior clareza seus limites, e eles também colocaram os seus. Se, depois de negociarem, os dois chegaram a um acordo, escolhem permanecer juntos, num relacionamento justo e honesto. É óbvio que alguns homens evitarão as mulheres que gostam de si mesmas, que têm consciência de seus direitos e respeitam os dos outros. Mas certamente não são esses os homens que você quer em sua vida.

Quando a mulher inteligente e que gosta de si mesma se envolve afetivamente com alguém, ela deseja ser sincera, fiel, justa e bem-intencionada. E espera o mesmo de seus amigos e do seu companheiro. Se não receber o tratamento que merece, ela romperá a relação. E deixa isso bem claro para quem compartilha a sua vida.

A mulher inteligente não tem medo de deixar que o homem que ela ama perceba a alegria e a segurança que ela sente por gostar de si mesma.

Segunda etapa

A aproximação

Parabéns. Você conheceu um homem de quem gosta. E ele parece gostar de você. Então, por que é que está preocupada? Depois de o gelo ter sido quebrado e a atração estar evidente, não deveria ficar mais fácil?

Bem, não é tão simples assim. Vamos encarar a verdade: mesmo o melhor homem do mundo é muito diferente de você. Afinal de contas, ele é um homem, e você não é. Trata-se daquela questão de gênero. Claro, há diferenças que fazem com que a relação fique mais divertida. No entanto, existem outras que tornam o terreno desafiador e difícil.

É quando o relacionamento se intensifica que a parte difícil termina e a parte mais difícil começa. O início pode ser amedrontador, mas a aproximação é verdadeiramente assustadora. As ansiedades geradas pelo compromisso começam a surgir. O relacionamento vai se tornando real, e você e seu parceiro talvez estejam tendo pequenas desavenças e conflitos. Vocês precisam resolver algumas questões um com o outro.

Quando um casal mal se conhece, um parceiro pode esconder muita coisa do outro. Mas quando os dois se tornam mais íntimos, as vulnerabilidades aparecem, e um de vocês (ou ambos) pode começar a se preocupar. Os riscos, que no início são relativamente pequenos, tornam-se enormes à medida que o relacionamento se aprofunda. Apertem seus cintos de segurança. Tornar-se íntimo significa conseguir agüentar uma vulnerabilidade extraordinária, períodos de total ansiedade e um saco de surpresas repleto de diversas outras emoções numerosas demais para serem enumeradas. Isso é realmente difícil.

A mulher inteligente sabe que...

Estabelecer uma relação íntima com um homem irá reavivar todas as relações íntimas – tanto as boas quanto as más – que você já teve com qualquer outro ser humano no passado.

Não estamos falando de antigos namorados, ex-maridos e paixões que não deram em nada. Estamos nos referindo a *todos* os vínculos que você estabeleceu desde o momento do seu nascimento. Sua mãe. Seu pai. Sua babá, se você tiver tido uma. Suas avós e seus avôs. Suas tias, seus tios. E não se esqueça de seus irmãos e suas rivalidades, nem dos vizinhos, professores, padres ou pastores, e de qualquer pessoa que teve importância em sua vida. As recordações e marcas deixadas por todas essas experiências de intimidade continuam presentes em cada um de nós.

Isso é uma coisa que a nossa amiga Cristina está aprendendo. Ela e Edgar começaram a sair há cerca de dois meses, e agora se vêem com mais freqüência. Passam juntos todos os fins de semana, tentam se encontrar pelo menos uma vez no meio da semana, conversam por telefone quase todos os dias, e estão planejando viajar nas férias. Essa semana o relacionamento deles sofreu uma crise.

Cristina costuma falar com Edgar todas as manhãs de sexta-feira, para programarem o fim de semana. Quinta-feira à noite, em um impulso, ele decidiu ir até a casa de seus pais que moram nos arredores da cidade, para encontrar a irmã caçula que estava enfrentando uns problemas. Edgar ficou conversando com ela até muito tarde, e na sexta de manhã decidiu não ir trabalhar e ficar mais um pouco com a irmã. Pensou em ligar para Cristina à tarde.

Quando nossa amiga telefonou para o escritório de Edgar na sexta de manhã, a recepcionista disse que ele estava fora da cidade e não retornaria até segunda-feira. Cristina imediatamente tirou todas as conclusões erradas. E sabe por quê? Por causa de antigas experiências com seu ex-marido que era uma pessoa muito pouco confiável. Quando finalmente Edgar ligou na sexta-feira à noite, ela estava tão perturbada que ficou muda. Além de não compreender a razão do silêncio, a atitude de Cristina trouxe à tona um antigo problema de Edgar.

A mãe dele tem um modo muito especial de castigar a família quando se zanga: ela fecha a cara e fica quieta. Não há santo que a faça falar enquanto ela não decidir. Essa característica da mãe enlouquece Edgar. Por isso, quando Cristina emudeceu, ele tirou suas próprias conclusões equivocadas e revidou adotando a atitude que aprendera na relação com a mãe: ficou lacônico e se retraiu, achando que ela o procuraria quando se acalmasse. Cristina, por sua vez, queria carinho e compreensão para poder reconstruir a confiança que achava ter perdido. A reação dele à reação dela só a fez se sentir pior. Você entende como isso funciona? Compreende como tudo pode ser desproporcionalmente aumentado e distorcido?

A mulher inteligente sabe que qualquer pessoa sofre o efeito do comportamento e da forma de relacionamento dos membros da família. Não importa se eles moram muito perto, muito longe ou que já tenham morrido. Os estilos de interação que vivemos em nossas famílias são levados conosco para todos os nossos relacionamentos adultos.

Conviver com um homem significa conviver com as marcas deixadas nele pelo seu sistema familiar. Existem aspectos bons, mas existem sempre alguns aspectos negativos. Você conhece a família de um homem através do comportamento dele, assim como ele conhece a sua. A não ser que já tenha feito muita terapia e adquirido um alto nível de consciência, você provavelmente irá interpretar o comportamento do seu parceiro da mesma maneira como interpretou o comportamento de seus pais ou irmãos. Você provavelmente irá achar as necessidades e as reações de seu parceiro similares às necessidades e reações das pessoas ao lado de quem você cresceu. No entanto, esse homem não é um membro da sua família. Ele não irá reagir a você como seus pais ou seus irmãos reagiam. Ele não é o louco do seu tio João, nem o irresponsável do tio Vinícius.

O que você precisa *de fato* é ter consciência disso e procurar conhecer as características específicas desse homem, sem identificá-lo com as pessoas que fizeram parte de sua vida até então. Só assim conseguirá se relacionar com ele tal como é.

A mulher inteligente sabe que...

Não deve transformar o homem com quem está saindo em seu irmão, nem reagir a ele como se fosse seu irmão.

~

Não deve transformar o homem com quem está saindo em seu pai, nem tratá-lo como se ele fosse seu pai.

~

Não deve transformar o homem com quem está saindo em sua mãe, nem brigar com ele como se ele fosse sua mãe.

A mulher inteligente sabe que...

Os homens gostam da mulher que sabe a diferença entre o homem com quem ela está nesse exato momento e o cara que lhe deu um fora quando ela era adolescente.

~

Vamos falar um pouco sobre um outro motivo que faz Cristina tirar conclusões erradas com tanta rapidez. Como adulta, ela já teve muitas decepções em seus relacionamentos. Tanto seu ex-namorado quanto seu ex-marido e sua ex-companheira de quarto não eram confiáveis. Faziam promessas que não cumpriam, e se aproveitavam da credulidade dela. A história de Cristina deu a ela bons motivos para imaginar o pior.

No exato momento em que Edgar não estava onde ela esperava que ele estivesse, Cristina achou que ele *jamais* estaria onde ela esperava que ele estivesse. Na realidade, ela ainda não o conhece suficientemente bem para ter total certeza se ele é ou não confiável. Talvez ele seja tão canalha quanto seu último namorado. No entanto, ela precisa esperar um pouco mais para saber isso ao certo. Até lá, é absolutamente necessário que Cristina se proteja. Ela precisa conhecer Edgar melhor antes de entregar seu coração. Ela precisa arriscar um pouco sem arriscar muito. A mulher inteligente sabe que se sempre imaginar o pior, não estará dando ao relacionamento uma verdadeira chance.

A mulher inteligente sabe qual é a diferença entre...

- Se proteger e atirar no próprio pé.
- Ser cautelosa e ser covarde.
- Um incidente isolado e um modo de ser imutável.

A mulher inteligente sabe que...

1 mulher + 1 conjunto de grandes
expectativas = 1 desastre na certa.

A mulher inteligente sabe que...

Os homens gostam de mulheres que não insistem em fórmulas.

"Depois de seis meses, ele vai ter que tomar uma decisão"; "Se sairmos pela terceira vez, aí iremos para a cama"; "Se resolvermos ter relações sexuais, serão três vezes por semana, pelo menos"; "Se ele me ama de fato, me dará um presente lindo no Dia dos Namorados"; "Ele é como a maioria dos homens: não estará pronto para casar até estar ganhando muito bem"; "Eu não me casarei com ele até ele estar ganhando pelo menos 50% a mais do que eu"; "Espero que ele me dê um diamante no nosso primeiro aniversário de casamento"; "Devemos comprar nossa casa um ano depois de casados. Dois anos, no máximo"; "Quero engravidar 18 meses depois de nos casarmos".

As fórmulas podem dar segurança, mas não são muito realistas e nem um pouco úteis. Elas tiram a espontaneidade, e se você se agarrar a elas, é provável que deixe de perceber o que está acontecendo de fato no relacionamento. A relação que você tem com seu parceiro é única e precisa evoluir de sua própria maneira.

A mulher inteligente sabe que...

Mesmo que esteja sonhando com o "para sempre", você precisa viver um dia de cada vez. Caso contrário, não estará vivendo.

A única coisa com a qual você pode de fato contar é com a existência de muito pouca coisa com a qual você possa realmente contar.

~

Se você precisa de fórmulas, vá estudar matemática.

A mulher inteligente não conta detalhes de suas experiências com seus ex.

A mulher inteligente sabe que...

Os homens gostam de mulheres que revelam seus históricos sexuais de forma discreta e sucinta.

Jéssica se sente tão íntima de Antônio que acha apropriado revelar-lhe alguns detalhes de seu histórico sexual. Ela o ama, e por isso quer que ele a compreenda e saiba o que foi significativo, o que foi doloroso, o que foi uma burrice e o que foi divertido em sua vida. Mas quando começa a fazer esses relatos, a expressão do rosto dele (que Antônio tenta ocultar) lhe diz que ela deveria retroceder – e rápido. Por quê? "Por que é que eu não posso ser sincera com ele?"

Vamos falar sério. São muito poucas as mulheres que não têm um histórico sexual quando encontram seus atuais parceiros. E é compreensível que uma mulher não queira esconder nada do homem que ama. É compreensível. Mas nem sempre inteligente. O histórico sexual, principalmente se for amplo, deveria ser revelado com o máximo de delicadeza e o mínimo de detalhes. Ainda assim, se for solicitado. Alguns homens digerem bem esse tipo de informação. Mas muitos, não. Comentários sobre um outro homem induzem à comparação e à competição. Por mais confiante que o homem seja, informações desse tipo, sobretudo se forem elogiosas, são duras de serem digeridas. Trate-as então como qualquer substância difícil de engolir. Forneça as informações em doses homeopáticas, e apenas se for necessário.

Por mais liberados que sejamos, encarar o passado sexual de alguém que se ama é um desafio para todos os homens e mulheres.

Os homens podem aceitar o fato de que a mulher amada tenha um passado sexual do qual eles não fazem parte. O mais difícil é sentir que a experiência com eles não parece tão especial.

Você vai concordar conosco: é difícil acreditar que o que existe entre vocês dois é especial se você não pára de evocar a imagem de uma porção de outros caras. Mesmo sabendo que isso não é verdade, os homens querem acreditar que o que vocês dois estão fazendo juntos nunca aconteceu antes na história da humanidade. Quanto mais especial o relacionamento de vocês pareça ser, mais difícil se torna deixar a presença de uma outra pessoa se intrometer na atividade sexual dos dois. A mulher inteligente pode ter inúmeras histórias excelentes sobre seus antigos namorados, mas ela jamais as menciona na cama.

A mulher inteligente **nunca, jamais** diz...

- Ah, isso me faz lembrar do Fred, só que a barba dele não fazia cosquinha.
- Ted gostava desse jeito também.
- Com o Ed eu gozava sempre.
- Ned estava sempre querendo saber do que eu gostava.

A mulher inteligente sabe que...

Quando se trata de intimidade sexual, é absolutamente ineficaz citar nomes.

A mulher inteligente sabe que o ciúme sexual extremo é um problema grave que exige uma séria solução.

Precisamos reconhecer que alguns homens são assustadoramente ciumentos. Se você estiver envolvida com um homem desse tipo, o comportamento dele pode deixá-la confusa. A paixão por você pode ser tão cativante que, no início, o ciúme exagerado talvez pareça lisonjeiro. Um homem assim tem muitas vezes a obsessão de conhecer todos os detalhes do seu passado sexual. Ele talvez diga que só poderá "confiar" em você após saber de tudo. Queremos preveni-la dos riscos que você corre: um homem muito ciumento pode se tornar emocional ou fisicamente agressivo com muita facilidade, e o relacionamento tende a se tornar um desastre.

A mulher inteligente sabe que, se você está envolvida com um homem muito ciumento, precisa conversar urgentemente com um terapeuta, para obter a ajuda de que precisa. Esse é um assunto que não deve nunca ser levado na brincadeira.

A mulher inteligente sabe que...
Os homens gostam de mulheres que compreendem o conceito de privacidade.

Limites. Limites. Limites. É uma palavra que se ouviu repetidas vezes no correr dos anos 90. Mas do que se trata? Todos dizem que é importante ter limites saudáveis, no entanto ninguém explica direito o que isso significa. Para compreender como os limites funcionam, reflita sobre como sua família trata o espaço e a privacidade de cada um dos seus integrantes. Na vida, cada um de nós delimita um pequeno espaço em volta de si e ergue algum tipo de parede ou barreira mental. Essas paredes representam nossos limites. Alguns possuem paredes muito baixas, com janelas e portas muito grandes. Outros têm paredes bem altas, com janelas e portas pequenas e difíceis de localizar. Alguns homens e algumas mulheres abrem suas portas e janelas e compartilham seus espaços íntimos livremente; outros acrescentam tijolos e proteções extras no momento em que alguém se aproxima.

Em algumas famílias, nada é demasiadamente íntimo, particular e sagrado; todas as portas ficam sempre abertas, e os limites não são claramente definidos. Seus integrantes contam, uns para os outros, praticamente tudo o que fazem diariamente. Eles se telefonam todos os dias e relatam minuciosamente os acontecimentos, as mágoas, os detalhes de suas rotinas diárias, até os mais incrivelmente íntimos. Todos sabem de tudo sobre todos.

Na extremidade oposta estão as famílias nas quais tudo é ocultado, tudo é segredo, e todas as portas se mantêm fechadas. Seus integrantes são surpreendidos com separações inesperadas, pois desconheciam as crises por que passavam os casamentos dos outros. Doenças graves só são reveladas quando o doente já se encontra quase em estado terminal.

É claro que a maioria das famílias fica no meio desses extremos. Mas em todas há áreas onde existem limites mínimos e limites essenciais. A família Lopes, por exemplo, é muito reservada quando se trata de questões sentimentais. O senhor e a senhora Lopes jamais se intrometeriam na vida sentimental de seus filhos. No entanto, eles não hesitam em imiscuir-se quando se trata de questões físicas. Embora Guilherme Lopes esteja com 30 anos, sua mãe – que nunca tocou nas razões do divórcio do filho – ainda telefona para perguntar como vai sua prisão de ventre. Ela considera o que se refere aos relacionamentos um assunto muito particular.

A maneira como duas pessoas adultas interagem está muito relacionada aos tipos de limites que existiam nas respectivas famílias de origem. Você, por exemplo, pode ter aceitado o conceito de limites de sua família sem jamais questioná-lo. Por outro lado, seu parceiro talvez considere a sua família intrometida e até desrespeitosa. Ele pode querer resguardar sua privacidade de maneiras que você não consegue compreender. Ou talvez ocorra o oposto. Talvez os membros da sua família sejam de tal forma reservados, que quando ouve seus amigos reclamarem da intromissão de suas mães, você sinta um pouco de inveja.

É fundamental que você tome consciência da maneira como lida com os limites do outro, porque esse respeito é da maior importância numa relação. Veja as demonstrações de amor, por exemplo. Algumas pessoas se abraçam e se beijam livre e despreocupadamente. Outras só querem ser abraçadas e beijadas em determinadas circunstâncias. Dinheiro, comida, sexo e sentimentos. Todos esses assuntos envolvem questões de limites. Será que você pode mexer no dinheiro do outro, nos papéis do outro, na comida do outro, nos órgãos genitais do outro, nos pensamentos do outro, e vice-versa?

Há casais que chegam a pensar em divórcio, quando tudo o que um dos dois de fato deseja é ter um fim de semana sozinho. Os limites que você estabelece em seu relacionamento dependem das regras básicas definidas pelos dois. Você se dá conta disso? Conversou sobre o assunto sem querer impor suas regras, mas negociando-as com seu parceiro? Continua conversando para avaliar como é que ele sente, e falar das suas próprias sensações?

A mulher inteligente sabe qual é a diferença entre...

- Querer terminar uma relação e querer um tempo sozinha.
- Querer terminar uma relação e querer seu próprio espaço.
- Querer terminar uma relação e querer comer tranqüila seu sanduíche.

A mulher inteligente sabe que...

Os homens gostam de mulheres que não abrem a correspondência deles.

Bianca está morrendo de ciúmes. E com razão. Matias, seu namorado, está saindo com outra mulher. E não é a primeira vez que isso acontece. Nesse exato momento, ela está esperando que ele saia do quarto para poder dar uma rápida vasculhada em seu paletó. *Bianca, por favor, pare o que está fazendo!*

Você alguma vez já se sentiu assim? Tão insegura em um relacionamento que se pega vistoriando as camisas dele, os lençóis dele, a agenda e o lixo dele para confirmar qualquer mínima evidência de más notícias? Se você age como Bianca, é óbvio que está tendo um problema de confiança. Talvez, como no caso dela, suas desconfianças sejam justificadas. No entanto, esse tipo de comportamento também indica um problema em relação à falta de limites. Sim, todas já sentiram vontade de bisbilhotar pelo menos uma vez os objetos pessoais dos seus amados. Esse tipo de desejo é compreensível e humano. No entanto, nunca é nem será justificável. Se a confiança está sendo traída, e ela não consegue lidar com isso nem acabar o relacionamento, a mulher inteligente procura e acha um terapeuta ou um grupo de apoio que a ajude a fazer o tipo de investigação emocional que precisa ser feita de fato.

A mulher inteligente sabe que...

As coisas do seu parceiro são dele, e ela não tem o direito de vasculhá-las. E as coisas dela são dela, e ele não tem o direito de vasculhá-las.

A mulher inteligente sabe que...

Se você é um pouco ciumenta, um homem pode se sentir lisonjeado. Se você é excessivamente ciumenta, ele pode achar que está na hora de começar a avaliar a continuidade da relação.

A mulher inteligente sabe que...

Ela não precisa contar uma piada, fazer malabarismo ou ficar de cabeça para baixo todas as vezes que há uma pausa na conversa.

A mulher inteligente sabe que...

Os homens gostam de mulheres que não temem o silêncio.

Nicolas e Sara jantaram, tiraram a mesa, lavaram a louça, e depois fizeram amor. Ele se sente feliz com ela e com o relacionamento. Estava pensando sobre isso quando pegou um livro delicioso que desejava ler. Nicolas se sente tão bem com Sara, que tem liberdade para ler ao seu lado na cama.

Mas Sara o observa pegar o livro e tem um leve sobressalto. Isso é normal? – ela se pergunta. Será que o estou deixando entediado? O que posso fazer para me tornar interessante? Por que não estamos nos comunicando? Será que não temos nada a dizer um para o outro?

Sara, em geral, fica tão nervosa com o silêncio que, quando a conversa pára, seu coração bate mais forte. Ela pensa em mil assuntos que poderiam interessar o marido. Ela sinceramente acredita que precisa ser animada, divertida, atraente e cativante o tempo todo. Está sempre fazendo alguma coisa, nunca fica quieta.

O verdadeiro problema é que Sara se sente abandonada nos momentos de silêncio. Isso ocorre porque os sentimentos dela estão ligados à maneira pela qual ela define seu papel como mulher e às suas confusas teorias sobre a forma de evolução de um relacionamento. Em sua cabeça, se um homem e uma mulher ficam felizes quando estão juntos, eles falam o tempo todo. Ela não sabe bem sobre o quê. Por isso, quando há um silêncio, ela fica com medo de que o relacionamento esteja morrendo, e sente que precisa fazer alguma coisa para mantê-lo vivo. Isso é o oposto do que Nicolas sente. Para ele, o silêncio significa uma oportunidade para relaxar e curtir a simples presença de Sara, sem precisar fazer mais nada.

~

A mulher inteligente sabe distinguir um silêncio saudável de um silêncio sepulcral.

~

A mulher inteligente tem coragem de ir passear sozinha na praia sem se preocupar em estar rejeitando o parceiro. Porque de fato não está, só quer ficar um tempo com ela mesma.
A mulher que gosta de si mesma gosta da própria companhia.

A mulher inteligente sabe que...

Os homens gostam de mulheres que eles não podem explorar.

Carmem está deixando Mário maluco: ela não se esquiva dos milhares de pedidos que todo mundo lhe faz. Ela nunca diz "não". E ele sabe que muitas vezes os pedidos dele são absurdos, e ela deveria dizer não para ele também.

Mário diz que foi criado em uma família onde cada um cuidava de si. É isso o que ele espera que Carmem faça. Se ele aparece na casa da mãe e pergunta "O que tem para o jantar?", ela responde: "Dê uma olhada na geladeira e veja o que pode preparar, e faça um pouco mais, porque eu também estou com fome." Quando ele aparece no apartamento de Carmem e pergunta o que tem para o jantar, ela corre para o mercado ou para o fogão.

Se ele deixa as meias no chão do banheiro da mãe, ela as coloca em um saco plástico para que ele as lave em casa. Se ele deixa as meias no chão da casa de Carmem, ela as devolve lavadas.

Parece que Mário não tem do que se queixar. Por que será então que está reclamando? Porque ele detesta se sentir culpado. Quando Carmem lhe devolve as meias lavadas e dobradas, ele se sente acusado de ser um homem desleixado. Por que ela não aprende a dizer "não" e a reagir um pouco?

E há outro problema mais grave ainda. Carmem não consegue dizer não para quase ninguém. O telefone dela toca sem parar com pedidos diversos, materiais e emocionais, partindo de seus amigos, familiares e colegas de trabalho. Se alguém precisa trabalhar horas extras, esse alguém é ela. Se algum amigo precisa falar de seus problemas sentimentais às 3h da manhã, liga para ela. Mário percebe claramente por que Carmem está sempre exausta. Responder a todas as solicitações dos amigos, do trabalho, e dele mesmo é de derrubar qualquer um. Ele se preocupa com a possibilidade de que todas essas pessoas que a exploram acabem explorando ele também, se os dois se casarem. Acha que vai sobrar muito pouco tempo para ficarem juntos. Ele admira Carmem por ser uma pessoa tão boa, mas acredita que há um limite para tudo!

A mulher inteligente não precisa atender o telefone só porque ele está tocando.

~

A mulher inteligente não precisa falar com estranhos só porque eles falam com ela.

~

A mulher inteligente não precisa responder só porque alguém lhe fez uma pergunta.

~

A mulher inteligente não precisa dizer sim quando quer dizer não.

~

A mulher inteligente nunca inventa uma desculpa para justificar seu desejo. Ela diz, suave mas firmemente: "Eu quero."

~

A mulher inteligente nunca dá alguma coisa para receber algo em troca. A mulher inteligente dá porque pode e porque quer.

A mulher inteligente sabe que...

Os homens gostam de mulheres que não contabilizam todos os favores que fazem.

Diego reclama que sua namorada, Michele, é perfeita. Ela faz tudo o que ele pede, mas depois cobra. Diego tem medo de deixá-la fazer qualquer coisa para ele, porque não suporta a cobrança. Ele conta: "Na noite passada, sem dizer nada, ela preparou um jantar para mim, e eu nem estava com fome. Sei que na semana que vem ela vai repetir uma dúzia de vezes que preparou o jantar, e que eu nunca faço nada para ela. Acho que ela só faz essas coisas para me obrigar a fazer coisas para ela. É como se ela tivesse um enorme computador ligado o tempo todo, registrando os nenores favores."

Em um relacionamento harmonioso e equilibrado é difícil lembrar quem fez o quê. Quem mudou a roupa de cama na semana passada? Quem cuidou da roupa suja ontem? Quem comprou os ingredientes para o jantar de hoje? Quem concordou em ver um filme que ele ou ela não queria ver? Quem ajudou a receber os pais do outro? Quem cuidou do outro quando estava doente? Quem ajudou a digitar o trabalho final de quem? Quem dirigiu o carro? Quem levou o cachorro para passear? Quem limpou o banheiro? E quanto às questões sentimentais? Quem dá mais apoio? Quem é mais atencioso? Quem é mais afetuoso?

Muitas vezes, as mulheres dão mais do que gostariam, com a esperança de obter alguma coisa em troca. Essa é uma reação humana. Só que infelizmente as coisas não funcionam assim.

A mulher inteligente sabe que...

Se você precisa fazer alguma coisa com condições preestabelecidas, faça uma compra a prazo.

A mulher inteligente sabe qual é a diferença entre...

- Dar um presente a alguém e fazer alguém se sentir culpado.
- Deixar alguém feliz e fazer alguém se sentir em débito.
- Dar um presente a alguém e esperar algo em troca.

A mulher inteligente sabe que...

Dois corações que batem em uníssono são um excelente tema para um filme de ficção científica e uma péssima premissa para um relacionamento saudável.

A mulher inteligente sabe que...

Os homens gostam de mulheres que acham que agir como um casal não significa ficar grudado um no outro como duas metades de uma laranja.

~

Jeferson acabou de chegar em casa após um dia incrivelmente difícil no trabalho. Tudo o que ele deseja é ver o noticiário, beber alguma coisa e relaxar. Rachel o espera na porta com abraços, beijos e uma dúzia de perguntas sobre o dia dele. Fica difícil dizer para ela que tudo o que ele precisa é de um espaço e um tempo sozinho. E que isso não tem nada a ver com o que ele sente por ela.

~

Hugo e Monique acabaram de chegar a uma festa de Natal na casa de amigos. Ele vê algumas pessoas com as quais quer falar, mas sempre que procura se aproximar delas, sente Monique pendurada em seu braço. Ele a ama, mas detesta esse tipo de comportamento. Quer se sentir livre para conversar, tanto com homens quanto com mulheres, como Hugo – um indivíduo –, e não como Hugo e Monique – um par. Ela tem amigos. Por que não vai falar com eles? Por que não consegue ser mais independente?

~

Pedro, um amigo de Fernando, acabou de chegar para bater papo e assistir a um jogo com ele. Vitória se sente magoada. Tinha sonhado com um fim de semana a sós com ele. É como se Pedro estivesse roubando alguma coisa dela, e por isso se senta no sofá abraçadinha a Fernando. Pedro tem a sensação de ser um intruso, e Fernando fica irritado. Por que Vitória precisa competir com seus amigos? Por que não é sensível às necessidades dele? Por que não o respeita?

A mulher inteligente sabe que...

Se você tenta ser *tudo* para um homem, você acabará se sentindo excluída.

~

Cercar significa asfixiar.

~

Se é bom para ela ficar sozinha com seus próprios amigos, para ele também deve ser.

Mito: Um casal apaixonado compartilha tudo.

Realidade: Quando está apaixonada, você não *tem que* compartilhar coisa alguma. Você não *tem que* compartilhar sua comida. Você não *tem que* compartilhar todos os minutos do seu tempo livre. Você não *tem que* compartilhar todos os seus pensamentos, e você não *tem que* compartilhar nem o mesmo banheiro.

Mito: Um casal apaixonado compartilha tudo.

Realidade: Amar de verdade significa poder dizer: "Eu respeito a sua privacidade, e quero que você respeite a minha."

A mulher inteligente sabe qual é a diferença entre...

Ser um casal e ser a sombra de alguém.
Ser prestativa e ser submissa.
Ter uma ligação forte e ser irmão siamês.

A mulher inteligente sabe que...

Os homens gostam de mulheres que não ficam enterradas em seu passado.

Renato e Carla estão saindo há seis meses, e ela realmente gosta dele. À medida que a intimidade cresce, ela lhe conta mais detalhes sobre sua vida. O problema é que os relatos fazem Renato concluir que, além de ter um forte envolvimento com seu ex-marido, Carla freqüentemente está às turras com ele. Ela não vê isso da mesma maneira. Ela sabe que não sente mais nada por seu ex-marido, a não ser, claro, um pouquinho ou mesmo bastante raiva. Mas eles têm filhos, e por isso precisam conversar um com o outro. Infelizmente, essas conversas muitas vezes se transformam em guerras, e ela fica tão angustiada que acaba desabafando com Renato suas preocupações.

Renato não compreende o que está acontecendo porque nunca foi casado. Ao saber das brigas de Carla com seu ex, imagina que esse tipo de coisa vai continuar *para sempre*. E acha que essas brigas indicam que ela ainda gosta do ex. Às vezes, Renato acha que os sentimentos básicos de Carla estão presos a seu casamento desfeito, e que ele é um mero espectador. Isso provoca ciúmes e, pior ainda, o faz se sentir como uma criança vendo a mãe brigar com o pai.

Renato passa bastante tempo na casa de Carla, e presencia brigas telefônicas que o impressionam muito. Fica dividido porque gosta muito dos filhos dela, está profundamente ligado a ela, mas sente medo do caos que percebe. Com isso, o relacionamento dos dois fica bastante ameaçado, mas Carla não se dá conta.

Ela precisa parar e avaliar cuidadosamente quanto deixa Renato ter pleno acesso à sua vida. Se ele fosse um adulto amadurecido, poderia lidar melhor com o que aconteceu no passado da namorada. Mas não é isso o que acontece. Ele gosta dela, mas fica apavorado ao pensar no futuro. Renato leva sua carreira a sério, tem metas e projetos ambiciosos. A confusão que percebe na casa e na mente de Carla o fazem temer pelo que pode acontecer se casar com ela. Ele realmente gostaria de fazer parte de sua vida, mas o tumulto decorrente do passado dela está asfixiando suas esperanças para o futuro.

Carla precisa perceber que está assustando Renato. Ela precisa reconhecer que as preocupações dele são realistas e práticas. Ela precisa fazer três coisas. Primeiro, manter a relação com seu ex completamente separada do seu relacionamento com Renato. Isso significa parar de revelar-lhe as inevitáveis conversas por telefone e não deixá-lo escutá-las. A seguir, precisa resistir ao impulso de contar para o namorado as coisas desagradáveis que seu ex-marido está fazendo agora ou fez no passado. Por fim, precisa limpar o máximo possível do seu passado para poder abrir mais espaço para seu atual e futuro relacionamento com Renato. As questões emocionais ligadas ao seu casamento anterior devem ser elaboradas e resolvidas com profissionais competentes – terapeutas e advogados. Renato não é uma coisa nem outra. É simplesmente um homem que pensa em construir com Carla uma vida em comum.

A mulher inteligente sabe que...

Duas pessoas ligadas pela raiva ainda estão muito ligadas.

~

O melhor homem do mundo pode olhar para a mulher mais encantadora do mundo e se perguntar o que ela fez para deixar seu ex com tanta raiva.

~

Enterre um homem do seu passado e você o afastará do seu futuro.

A mulher inteligente não olha pelo espelho retrovisor quando sabe que está na hora de ir em frente.

A mulher inteligente sabe que...

Um homem narcisista é como um prato de escargots – muito pouca carne dentro de uma casca grande demais.

~

Um homem agressivo é como um leão em busca da presa: perigoso e predatório. É melhor se afastar dele.

~

Um homem hostil é como um tatu amedrontado – tudo o que você consegue ver é a sua couraça.

~

Você nunca poderá contar com um homem que não consegue assumir suas responsabilidades quando você mais precisa dele.

A mulher inteligente sabe que...

Se você ama um homem que não é bom para você, a coisa mais difícil do mundo é dar-lhe as costas e se afastar. Mas ela sabe também que esta é a coisa mais sábia do mundo.

Beatriz e Rodolfo estão saindo há quase um ano, e embora sob alguns aspectos eles pareçam estar cada vez mais íntimos, o comportamento de Rodolfo piora dia após dia. Beatriz *sabe* que o ama, mas sente que não pode contar com ele. Ela *acha* que ele a ama, mas *sabe* que ele não a valoriza de fato. Ela não imagina qual seja o problema. Talvez outra mulher, talvez o medo de assumir um compromisso, talvez excesso de bebida, talvez ele esteja tão en-volvido com sua carreira que não haja espaço para mais nada, talvez esteja tão concentrado em si mesmo que não haja espaço para nenhuma outra pessoa. Ou talvez ele seja simplesmente perverso.

Sejam quais forem os motivos, o fato é que as necessidades básicas de Beatriz não estão sendo atendidas. Apesar disso, ela está dividida. Já passou quase um ano com ele, e não quer jogar fora o investimento de tempo e amor. Além disso, está apavorada com a dor que poderia sentir com o término do relacionamento. Entretanto, a maneira como Rodolfo a vem tratando lhe causa profunda infelicidade, e ele não parece disposto a mudar.

Muitas mulheres já se viram na mesma situação. Quando Beatriz conheceu Rodolfo, ela estava muito ansiosa para encontrar o amor de sua vida, e por isso se deixou envolver. Essa é a típica situação que facilita o aprisionamento em uma relação com outra pessoa antes de qualquer um dos dois "conhecer" melhor o outro.

Quando você avança rapidamente no início de um relacionamento, corre o risco de se envolver antes de averiguar completamente quais são os hábitos desse homem: se ele bebe, como trabalha, o que sente em relação à fidelidade ou a compromissos. Você pode dar largos passos sem se dar conta, até constatar que percorreu uma incrível distância com um homem do qual deveria ter se afastado desde o início.

Agora, assim como Beatriz, você se sente como se tivesse apenas duas opções: agüentar um relacionamento que a faz sofrer constantemente ou cair fora. Você não quer continuar vivendo assim, e sabe o que precisa fazer. Só que nunca é fácil terminar com um homem de quem você gosta. Aqui estão três sugestões para ajudá-la a dar o primeiro passo:

1. Prometa *parar* de tentar mudá-lo imediatamente. É impossível.
2. Prometa que vai buscar ajuda para mudar a si mesma.
3. *Procure* um terapeuta, um conselheiro ou um grupo de apoio que lhe traga orientação e lhe dê coragem para efetuar a mudança.

Terminar um relacionamento sério é um processo difícil. Se você não está emocionalmente preparada para acabar imediatamente, não desista. Vá aos poucos, não fique imobilizada. Diga a si mesma para desistir de tentar mudá-lo, pois, por mais que tente, não vai conseguir. E não vai mesmo. Comece a pensar seriamente em procurar uma ajuda para tomar consciência dos mecanismos que a fazem aceitar uma relação perversa. É bem possível que você resista inicialmente, mas siga em frente. A mulher inteligente sabe que em algumas situações a única coisa que pode fazer é modificar o próprio comportamento aos poucos, até obter a força de que precisa. Comece a mover-se na direção correta, no ritmo que for capaz, e por maior que seja a vontade, não questione cada decisão que tomar, não duvide do seu julgamento, não olhe para trás. É bem provável que haja sofrimento nesse processo, mas você está em busca de um bem maior que é a sua felicidade. É aprender a gostar mais de você mesma.

A mulher inteligente sabe que...

Há uma grande diferença entre brincar na areia e enterrar a cabeça nela.

~

Não é inteligente contentar-se com menos do que você merece.

A mulher inteligente sabe que...

Sim, é claro, um homem gosta de uma mulher que não tenta modificá-lo.

Mas quem se importa com isso! Há duas razões excelentes para a mulher inteligente nunca tentar mudar um homem. Razão 1: só há mudança quando a própria pessoa quer mudar. Razão 2: gastar toda a sua energia para mudar ou salvar um homem significa roubar energia de si mesma.

Isso é importante para o seu futuro, portanto, preste atenção! Use a sua preciosa energia em coisas realmente capazes de beneficiar sua vida. Gaste sua energia e seu tempo com pessoas que queiram ter relacionamentos mais saudáveis e promissores com você. Use a sua energia para melhorar situações que podem ser melhoradas. Vamos ver algumas delas. Você pode, por exemplo, se esforçar para mudar; você pode dedicar um tempo maior à construção de relacionamentos mais saudáveis com seus filhos, sua família ou seus amigos; você pode dedicar mais tempo para crescer profissionalmente; você pode fazer mil e uma coisas para melhorar a sua vida e passar a gostar mais de si mesma. Portanto, vá à luta e deixe aquele homem ser quem ele deseja ser. Se ele não a valoriza e não demonstra afeto, ele não merece o seu tempo ou o seu interesse.

A mulher inteligente sabe como gastar sua energia. Ela a poupa para as pessoas que querem iluminar sua vida.

Mito: Se você ama muito um homem (não importa quanto ele maltrate você), um dia ele cairá em si e perceberá que está agindo errado.

Realidade: Se você ama muito um homem (não importa quanto ele maltrate você), um dia ele descobrirá uma maneira de tratá-la ainda pior.

~

Mito: Se você agüenta as traições dele por muito tempo, um dia ele cairá em si e perceberá que você é a única mulher na vida dele.

Realidade: Se você agüenta as traições dele por muito tempo, um dia ele achará que você está lhe dando permissão para traí-la.

~

Mito: Se você agüenta um imbecil por muito tempo, um dia ele perceberá que está sendo um imbecil.

Realidade: Se você agüenta um imbecil por muito tempo, um dia ele se tornará mais imbecil ainda.

A mulher inteligente sabe que...

Os homens gostam de mulheres que
não agüentam suas idiotices.
As mulheres gostam mais de si mesmas
quando não estão agüentando as idiotices
de alguém.

A mulher inteligente sabe quando precisa de ajuda e age de acordo com esse conhecimento.

Você e o "imbecil" terminaram porque a estupidez dele era tão descomunal que você não podia mais conviver com ela. Mas ele sente falta de você, e por isso lhe telefona implorando perdão. O que você faz e diz? Bem, você não sai pulando e rindo de alegria, nem diz um "sim" entusiasmado. Antes de decidir que o "imbecil" finalmente se tornou o "príncipe encantado", comprometa-se a permanecer com os pés no chão e a ser realista. Este é um compromisso fundamental, porque se o relacionamento se deteriorar de novo depois de você ter dado tudo de si, irá se sentir muito pior do que está se sentindo neste exato momento. Lembre-se que a mulher inteligente lhe diria que as estatísticas provavelmente não lhe são favoráveis. A não ser que vocês dois mudem de verdade, a probabilidade é que o relacionamento volte a ser exatamente o que era antes.

Se você vai tentar mais uma vez continuar com o relacionamento, a mulher inteligente lhe diria que, desta vez, você precisa de uma supervisão. Isso significa fazer terapia de casal. Se o relacionamento for importante para vocês, a terapia é um investimento que *os dois* precisam fazer. A reação dele quando você sugerir que participem de uma terapia lhe ajudará a descobrir quais são as verdadeiras intenções do seu parceiro. Após consultarem um terapeuta qualificado, vocês poderão estabelecer juntos algumas regras básicas que os ajudem a construir um relacionamento melhor.

Talvez você tenha medo de falar com ele sobre terapia. Talvez você tenha medo de que, ao insistir, seu parceiro veja isso como uma exigência, e reaja negativamente. Este seu modo de pensar não é inteligente. Se a tendência dele é ver qualquer *sugestão* sua como uma *exigência* ou mesmo uma *imposição*, dificilmente a relação vai voltar a funcionar. Algumas mulheres preferem retomar o relacionamento, para então sugerirem a terapia. Mais uma vez, esse não é um modo inteligente de pensar. No momento em que estão separados, quando *ele* se sente verdadeiramente desconfortável, você tem um pouco mais de força do que em circunstâncias normais. Use-a construtivamente para vocês dois. E não corra para os braços dele até que vocês tenham estabelecido alguns acordos, com a ajuda de um profissional competente.

A mulher inteligente também lhe diria que, independentemente da terapia de casal, essa é uma excelente ocasião para você procurar uma ajuda para você mesma. Use a crise como uma oportunidade para se conhecer melhor e ser mais livre em suas escolhas. Será que esse relacionamento é de fato o que você quer para o resto da sua vida, ou até mesmo para as próximas semanas?

A mulher inteligente sabe que...

Não importa se ela vai manter o relacionamento ou se separar, obter ajuda é o primeiro passo para ficar saudável.

~

É sempre muito inteligente ter respeito por si mesma e por suas próprias necessidades.

Mito: Foi amor à primeira vista.

Realidade: Foi um problema. Às vezes, aquele homem sem o qual você acha que não consegue viver não quer saber de você. Se é a falta de interesse dele que a mantém presa, você precisa mais do seu terapeuta do que desse relacionamento.

A mulher inteligente sabe que...

- O fato de parecer ter tudo sob controle não significa que ele seja invulnerável.
- O fato de ser o campeão da academia não significa que ele seja capaz de carregar o peso do mundo em seus ombros.
- O fato de parecer um gigante não significa que ele nunca se sinta como um garotinho.
- O fato de ser alto não significa que ele nunca trema... Até os homens com pernas compridas e fortes sentem fraqueza nos joelhos.
- O fato de parecer tão competente não significa que ele seja sempre capaz de uma grande atuação.

A mulher inteligente sabe que...

> Os homens gostam de mulheres que sabem que eles têm temores e ansiedades, e não os menosprezam por isso.

~

O que está acontecendo com César? Suzana vai chegar para tomar uns drinques no apartamento dele, e ele mais parece um garotinho medroso do que um homem se preparando para o quinto encontro com uma mulher de quem realmente gosta. Na essência, César está procurando rasgar, esconder ou disfarçar qualquer coisa que distorça a imagem que ele se esforça por manter.

Pega o extrato bancário que mostra que ele está no vermelho e o esconde em uma caixa de sapatos atrás de um monte de roupa suja no fundo do armário. Empurra a cadeira para esconder a rachadura na parede. Passa o aspirador de pó no sofá para tirar os pêlos do cachorro, rezando para que o cachorro não faça alguma besteira. Abaixa o volume da secretária eletrônica para o caso de sua mãe telefonar e deixar uma de suas longas e embaraçosas mensagens que o infantilizam.

Ele coloca todos os seus livros "legais" na frente dos outros, e empurra para o fundo da estante aqueles que indicam um gosto questionável. Por fim, examina as paredes e remove uma fotografia dele com a ex-namorada. Isso o faz lembrar de dar uma rápida olhada na carteira, em busca de retratos. Se ela pedir para ver fotos recentes de seus sobrinhos, ele não quer que a foto da sua ex atrapalhe a atmosfera.

Rapidamente, checa a geladeira e joga fora quatro ovos muito velhos, uma alface que está apodrecendo, um pão velho, um molho de tomate mofado e um pedaço de bacon estragado. Cruzes, e se ela precisar ir ao banheiro? Corre para o banheiro com um rolo de papel higiênico na mão. Fecha a cortina do boxe e retira todos os fios de cabelo da pia. Como não tem nenhuma toalha de mão limpa, coloca o rolo de papel-toalha decorado em cima da pia, e pendura uma toalha de praia no trilho da cortina do boxe como medida de prevenção. Ufa! Talvez agora ele possa relaxar por meio minuto se conseguir parar de se preocupar com aquele extrato bancário no fundo do armário... e com o relatório que tem de entregar na manhã seguinte.

~

O futuro, o colesterol, o problema nos joelhos, as costas doloridas, o desemprego, o imposto de renda, os crimes, o envelhecimento, os chefes hostis, as incertezas de um pequeno empresário, os parceiros competitivos, as cotas de vendas, as mães dependentes, contas, contas, contas, irmãos problemáticos, pais deprimidos, saldos bancários cada vez menores, ejaculação precoce, o declínio do nível de testosterona, e o que está acontecendo no relacionamento de vocês dois. Essas são apenas algumas das coisas sobre as quais o homem de sua vida pode estar pensando, e não necessariamente nessa ordem.

Os homens de um modo geral foram condicionados para demonstrar que tudo em sua vida está sob controle. Mesmo quando o nível de estresse se eleva a ponto de ele sentir vontade de se enfiar em um canto e chorar, ele tenta passar a impressão de que sabe o que está fazendo. Um homem desempregado, por exemplo, quase sempre tentará dar a impressão de ter seu futuro sob controle. Segundo as estatísticas, a probabilidade é que o homem de sua vida tenha certas preocupações. Talvez ele as revele algumas vezes, mas quase sempre as tentará ocultar.

Não estamos sugerindo que você se concentre de tal forma nos problemas de um homem que acabe dedicando menos tempo e atenção a seus próprios problemas. O que estamos sugerindo é que você aprenda a olhar com mais cuidado o que está por trás da armadura do macho, e tente se mostrar mais sensível às preocupações humanas dele. Elas não são substancialmente diferentes das suas.

A mulher inteligente sabe que...

Só porque ele é um ser humano comum não significa que não seja desejável.

~

Se você está esperando encontrar um homem que tenha *todas* as qualidades, a probabilidade é que você fique esperando para sempre.

A mulher inteligente sabe que...

Os homens gostam de mulheres que sabem dançar o chachachá.

Um, dois, chachachá. Um, dois, chachachá. Para a frente, para trás, chachachá. Para trás, para a frente, chachachá. Afastar, aproximar. Afastar, aproximar. Girar e beijar. Dizem que os relacionamentos são como passos de uma dança, mas ninguém nos ensina a segui-los. Se você teve sorte, encontrou um homem com um pouco de ritmo. Mas caso não tenha encontrado, não sinta medo de ajudar a criar os passos. Ninguém é o rei do chachachá, e a maioria dos homens de fato aprecia uma parceira que entenda suas limitações e tente ajudá-los. E o lugar mais importante para exercitar os passos dessa dança é a área de comunicação. *Chachachá.*

A mulher inteligente sabe que...

Um relacionamento sem uma boa comunicação não é um relacionamento.

A mulher inteligente sabe que...

Em um relacionamento saudável, comunicar-se é essencial.

Mônica e Frederico têm tudo: seis telefones (inclusive dois celulares), um fax, dois modens, um aparelho de rádio amador e uma antena receptora. Com todo esse equipamento, é difícil acreditar que eles não se comuniquem – mas é exatamente isso que acontece. Sabe por quê? Porque existe uma grande diferença entre falar com alguém e falar *perto* de alguém, *para* alguém, *através* de alguém ou *ao redor* de alguém. Mônica e Frederico não conseguem ver a diferença, e muitos outros casais sentem o mesmo e se identificam com a experiência deles.

Alguns tiveram a sorte de nascer em famílias que se relacionavam de forma muito positiva, comunicando-se de maneira respeitosa e formando uma estrutura comunitária e bem-sucedida. Infelizmente, outros não tiveram a mesma sorte. Vieram de famílias que tinham repertórios inteiros de comunicação confusos e equivocados. Na verdade, muitos dos integrantes dessas famílias nem mesmo sabiam o que queriam uns dos outros, ou, quando sabiam, não conseguiam comunicar seu desejo com cortesia e solidariedade.

Se você cresceu em uma família assim, precisará reeducar-se para estabelecer uma comunicação capaz de construir relacionamentos saudáveis quando tiver sua própria família. Você precisará apagar as técnicas de comunicação baseadas em silêncios hostis, observações irônicas, tons sarcásticos, palavras agressivas, resmungos quase imperceptíveis ou em uma linguagem corporal ambígua. Você precisará substituir esses métodos por um estilo de interação produtivo. Você precisará aprender a ser mais honesta, mais aberta, mais direta e mais sensível. Você gostará mais de si mesma quando conseguir isso.

A mulher inteligente sabe que...

- Se você não sabe ouvir, você não sabe como se comunicar.
- Se você sempre precisa dar a sua opinião, você não sabe como se comunicar.
- Se você sempre levanta o tom da voz para se fazer ouvir, você não sabe como se comunicar.
- Se você não deixa a outra pessoa falar, você não sabe como se comunicar.
- Se você sempre precisa ter a palavra final, você não sabe como se comunicar.
- Se você fala com um adulto da mesma maneira como fala com uma criança pequena, você não sabe como se comunicar.

A mulher inteligente sabe que...

Os homens gostam de mulheres que usam as palavras com sensibilidade.

Quando Mônica e Frederico têm uma briga, eles gritam durante uns 10 minutos. Em seguida, um deles pára de falar, e o outro o acompanha no silêncio raivoso. Este silêncio normalmente dura até a hora de dormir. Como sentem muita atração sexual, eles se reconciliam fazendo amor. Pedem desculpas um ao outro, e tudo é esquecido até a próxima briga.

Embora esse método de solução de crises tenha um lado sensual, na verdade ele não resolve nada. Um dia os dois ficarão tão acostumados fisicamente um com o outro que perderão a exaltação da atração sexual. Um dia os hormônios dela e dele irão desacelerar e a raiva os impedirá de fazer amor. Nesse dia, eles só disporão de um estilo de comunicação que não funciona, e de uma grande coleção de ressentimentos e questões não resolvidas.

A mulher inteligente sabe que...

Fazer amor e agredir não são as duas únicas maneiras de demonstrar seus pontos de vista.

Esconder conflitos debaixo de lençóis transforma uma casa feliz em uma casa mal-assombrada.

É inteligente fazer as pazes antes de fazer amor.

Construir um relacionamento é como construir uma casa. Você trabalha nas fundações antes de trabalhar no quarto.

A mulher inteligente sabe que...

Os homens gostam das mulheres que buscam uma melhor comunicação.

~

Raul realmente ama Elisa. Ele diz que o que mais admira na namorada é o fato de ela sempre ajudá-lo a discutir os fatos. Quando eles têm um problema, Elisa diz: "Precisamos conversar sobre isso. Quero ouvir a sua opinião e quero dizer o que penso." E eles conversam. Eles não gritam. Eles conversam.

~

Marcelo diz que o que ele mais gosta em Natália é do fato de poder lhe contar qualquer coisa. Quando faz uma besteira no trabalho ele compartilha seus sentimentos com ela, porque quer ouvir sua opinião sobre o que aconteceu.

~

Dennis conta que um dia ele e Fávia foram a um shopping. Lá, cada um dirigiu-se para um lado, em busca das coisas que queriam comprar. No caminho de volta, pararam em uma lanchonete para tomar um café. Começaram a conversar sobre suas compras e sobre o que cada um tinha visto no shopping. Dennis conclui: "De repente, eu me dei conta de que poderia ser amigo dessa mulher para o resto da minha vida. Então percebi que precisávamos nos casar."

A mulher inteligente sabe que...

Mesmo que não saiba expressar isso, todo homem quer que a mulher que ele ama seja a sua melhor amiga.

A mulher inteligente sabe que...

Há uma grande diferença entre tentar manipular um homem e tentar fazê-lo sentir-se bem com ele mesmo.

Os homens gostam de mulheres que lhes dão todos os tipos de apoio.

Ana adora quando Jaime a elogia. Vibra quando ele diz que ela é inteligente e bonita. Quando ele diz como ela fica engraçadinha cortando legumes para fazer sopa, e depois, como a sopa está deliciosa, Ana se sente ótima. Então, se gosta tanto de receber elogios, por que não percebe que Jaime também ficaria feliz se ela o elogiasse?

Nunca lhe ensinaram, nem a qualquer uma de suas irmãs, como elogiar os homens. Na realidade, ela foi muito sutilmente desencorajada a fazê-lo. Quando começou a namorar, Ana era muito tímida, e sentia vergonha de dizer a um rapaz o que gostava nele. Achava que, se fizesse isso, daria a impressão de estar muito ávida e desesperada. Mais tarde, passou a achar que as mulheres que costumam elogiar os homens são manipuladoras e falsas. Por isso nunca aprendeu a dizer coisas que pudessem fazer um homem se sentir apreciado, admirado e amado. Isso é péssimo, porque Jaime se sentiria feliz se achasse que Ana valoriza algumas de suas melhores qualidades.

A mulher inteligente não tem medo de dizer a um homem o que o torna tão especial.

A mulher inteligente sabe que...
Se ele pudesse ler a sua mente, seria realmente assustador.

A mulher inteligente sabe que...
Os homens gostam de mulheres que conseguem dizer o que estão pensando.

Léa diz que Sérgio, seu noivo, não se comunica, e não tem o menor interesse em saber o que ela sente. Diz que ele nunca se mostrou sensível aos sentimentos dela. Na semana passada, por exemplo, Saul, o filho de 14 anos do primeiro casamento de Sérgio, foi visitá-los. Enquanto os dois jogavam tênis, Léa foi fazer compras. No caminho de volta, entrou em uma locadora e pegou um filme de ação para os três verem juntos. Ao chegar em casa, descobriu que eles já tinham assistido àquele filme. Por algum motivo, sentiu vontade de chorar. No trabalho, ela tivera uma semana difícil, em que tudo pareceu sair errado, e essa era mais uma frustração. Além disso, queria que Saul gostasse dela, mas tinha a impressão de não conseguir fazer nada certo. Quando Léa se pôs a chorar, Sérgio ficou aborrecido, achando que ela estava fazendo uma tempestade num copo d'água.

Léa sofre de uma síndrome que afeta muitas mulheres e muitos homens. Ela nem sempre deixa as pessoas que a cercam saberem o que está sentindo *no momento em que algo está acontecendo*. Ela nunca disse a Sérgio: "Eu quero ter um bom relacionamento com Saul, e por isso vou procurar fazer coisas de que ele gosta." Ela nunca disse a Sérgio: "Hoje estou nervosa porque meu chefe está me atormentando." Como ela nunca disse nada, Sérgio não sabia o que estava acontecendo. Ele só viu o resultado final – uma reação emocional que lhe pareceu exagerada.

Assim como muitas mulheres, Léa quer que Sérgio aja assim:

- Faça com que ela se sinta bem, mesmo quando ele não sabe que ela está se sentindo mal.
- Saiba que ela precisa, mesmo quando ela age como se não precisasse de nada.
- Saiba que é importante para ela, embora sejam coisas pouco importantes para ele.
- Saiba como uma mulher sente e reage, embora ele tenha sido criado entre quatro irmãos homens.

A mulher inteligente sabe que o homem comum não é um vidente, e que telepatia raramente funciona.

A mulher inteligente sabe que...

Se você realmente quer se comunicar melhor, não deve ficar calada nem ser agressiva.

A mulher inteligente sabe que...

Um homem gosta de uma mulher que consegue lhe contar o que há de errado sem jogar toda a culpa em cima dele.

Muitas mulheres deixam suas frustrações e seus aborrecimentos chegarem a um ponto em que de repente elas estouram e despejam acusações e incriminações. Você engole o fato de ele nunca se oferecer para acompanhá-la ao mercado, de raramente ajudar nas tarefas de casa, de espalhar roupa suja no chão, de se apropriar do jornal e deixá-lo amassado. Vai engolindo até o dia em que tudo é posto para fora em uma torrente de críticas sobre o egoísmo dele. Como nada foi conversado até então, ele fica arrasado com as reclamações e se pergunta: "Se sou tão egoísta assim, por que é que ela está comigo?"

Pense bem. Será que você vem agüentando o fato de ele flertar nas festas, de não se interessar por suas atividades, de estar sempre atrasado para os compromissos, de mantê-la desinformada de sua situação financeira, de se ocupar pouco dos filhos, e suas crônicas traições? De vez em quando você tem um chilique, ameaça ir embora e diz que ele é o pior homem do planeta. E de novo ele pensa: "Se sou o pior homem do planeta, por que é que ela ainda está comigo?"

A mulher inteligente sabe que...

- Não é inteligente se colocar no papel de vítima.
- Não é inteligente agir como vítima.
- Não é inteligente pensar como vítima.
- Não é inteligente acumular suas queixas.

A mulher inteligente sabe que...

O momento ideal para falar de um problema é quando você o detecta.

~

Ao contrário dos bons vinhos, os problemas não melhoram se forem deixados no porão para envelhecer. Se você fizer isso, os problemas pequenos crescerão e os grandes se tornarão ainda maiores.

A mulher inteligente sabe que...

Um problema, assim como uma erva daninha, é mais facilmente eliminado se você puder cortá-lo pela raiz.

A mulher inteligente sabe que...

Os homens gostam de mulheres que percebem a diferença entre conversar e julgar.

~

Se nas suas conversas aparecem frases como "Eu nunca faria desse jeito", "Isso é típico de você", ou "Você nunca faz nada certo", você não está comunicando. Está julgando.

A mulher inteligente sabe que...

Os homens gostam de mulheres que conhecem a diferença entre conversar e criticar.

Veja se, ao conversar com ele, você diz frases do tipo: "Você é insuportável", "Isso é burrice", "O seu cabelo está muito mal cortado", "Essa sua roupa é cafona", "Será que ao menos uma vez você poderia deixar de ser tão vulgar?" Se respondeu afirmativamente, você não está conversando. Está criticando.

A mulher inteligente sabe que...

> Um homem gosta de uma mulher que não transforma todos os diálogos em monólogos sobre suas necessidades e sentimentos.

~

Carlos diz que não consegue conversar com Jane porque ela não sabe o que é conversar. Segundo ele, quando ela diz "Nós precisamos conversar sobre nossos problemas", o que ela quer transmitir é "Vou dizer como me sinto e provavelmente vou ficar com mais raiva ainda enquanto estiver falando". Bem, muitas mulheres inteligentes podem compreender Jane. Se conversassem com Carlos, elas lhe diriam que quando Jane lhe fala sobre seus problemas, ela quer algum tipo de reação emocional da parte dele. E diriam a Carlos que sua reação não dá a Jane a sensação de que ele percebe seus sentimentos.

Mas a mulher inteligente também diria a Jane que Carlos talvez não saiba como fazer isso. Ela observaria que, enquanto fala com intensidade cada vez maior, talvez Jane esteja esperando o quase impossível – que Carlos finalmente a entenda e reaja da forma que ela quer. A mulher inteligente mostraria que o método que ela usa é ineficaz e já desapontou dezenas de mulheres.

Eis o problema: Carlos provavelmente tem a maior dificuldade em compreender o que está acontecendo, e a intensidade com que Jane fala não ajuda em nada. Isso não significa que ele seja um cabeça-dura emocional, nem que seja má pessoa. Significa apenas que, como ele não consegue entender a linguagem dela, passa a se defender cada vez mais. A mulher inteligente diria a Jane que começasse a conversa perguntando como *ele* se sente, em vez de despejar extensamente tudo o que *ela* sente. Talvez juntos os dois possam encontrar uma maneira de se comunicar melhor.

A mulher inteligente sabe que...

Não é inteligente terminar frases iniciadas pelo outro.

~

Se você está falando cada vez mais e ele está falando cada vez menos, vocês *realmente* precisam conversar.

A mulher inteligente sabe que...

Os homens gostam de mulheres que não choramingam durante o jantar.

Cátia está reclamando outra vez, e às vezes Paulo tem a impressão de que ela só sabe fazer isso. Cátia se lastima dizendo que está cercada de parentes que não a admiram, de colegas que trabalham menos do que ela, de eletricistas que não retornam suas ligações e de vendedoras de cosméticos que sempre lhe vendem o batom na cor errada.

Atualmente, ela está redecorando seu banheiro, e reclama sem parar do pintor. Quando Paulo mandou reformar o banheiro de seu apartamento, o bombeiro provocou os maiores desastres, e *ele* não reclamou. Simplesmente mandou refazer o serviço. Ele está começando a ficar cansado da insatisfação crônica de Cátia. Quando a conheceu, sentiu-se atraído porque ela era divertida e engraçadinha. Na época, seus problemas pareciam interessantes e dignos de pena. Agora, parecem maçantes.

Cátia não compreende o que Paulo está sentindo. Ela acha que está apenas relatando fatos de sua vida. Todas as suas amigas parecem gostar de conversar com ela. Não reclamam quando ela reclama. Demonstram solidariedade e compaixão. Mas Paulo encara problemas de outra forma: ele vai em busca de soluções. Quando Cátia choraminga, ele se exaspera porque acha que reclamações não levam a nada. Não entende por que ela fica tão nervosa, e acha que a namorada exagera. Mas, como quer ajudá-la, vai em busca de soluções concretas para os problemas que Cátia apresenta. Cátia não quer soluções, só quer compartilhar seus sentimentos. A incompreensão se aprofunda, e Paulo vai ficando cada vez mais irritado.

A mulher inteligente sabe que...

Uma reclamação válida e um choramingo irritante são coisas bem distintas.

~

Se você está procurando um homem que queira ouvir as suas queixas, escreva uma carta para o Correio Sentimental de sua revista preferida.

~

Só pelo fato de amar você, um homem não tem que ter paciência para ouvir todos os detalhes das ínfimas coisas que dão errado em sua vida.

~

A mulher inteligente sabe que...

Os homens gostam de mulheres que conseguem falar com eles sem fazer acusações, sem ser agressivas ou mesquinhas. Todas as mulheres inteligentes têm uma lista de declarações na 1ª pessoa que funcionam e uma lista de declarações na 1ª pessoa que não funcionam.

Declarações na 1ª pessoa que funcionam:

Eu me sinto magoada e quero saber como você está se sentindo.
Eu me sinto perturbada e quero saber como você está se sentindo.
Eu me sinto confusa e quero saber como você está se sentindo.
Eu me sinto vulnerável e quero saber como você está se sentindo.
Eu me sinto preocupada e quero saber como você está se sentindo.
Eu quero compreender.
Eu quero resolver isso.
Eu quero melhorar isso.
Eu quero que você me diga o que acha que está acontecendo para que eu possa entender.

Declarações na 1ª pessoa que não funcionam:

Eu acho que você está *totalmente* errado.
Eu acho que a culpa é toda sua.
Eu acho que você é um imbecil.
Eu acho que você está fazendo isso de propósito.
Eu acho que você está me confundindo com a sua mãe.
Eu acho toda a sua família horrível.
Eu acho que você é igual ao seu pai, mas ele, pelo menos, sabe ganhar dinheiro.
Eu não suporto a sua presença.
Eu estou fazendo as malas.
Eu não estou ouvindo...

A mulher inteligente sabe que...

Você não obtém o que você quer quando começa por uma discussão.

A mulher inteligente sabe que...
Os homens gostam de mulheres que compreendem que tudo precisa ser negociado.

Júlia é dona de uma pequena butique e está tentando descobrir como dizer à sua sócia que precisa tirar mais um dia de folga durante o período natalino. Observe como ela tenta conseguir o que quer e, *ao mesmo tempo*, deixar a sócia feliz.

1. Júlia decide falar sobre o assunto num momento em que sua sócia está mais tranqüila.
2. Ela vai conversar logo depois de constatar que precisa de mais um dia livre. Assim, sua sócia terá tempo suficiente para ajustar adequadamente a própria agenda.
3. Ela fala com serenidade, escolhendo as palavras com cuidado, para que a sua sócia não ache que ela está comunicando um fato consumado, e sim procurando uma solução que atenda aos interesses das duas.
4. Ela pensa numa forma de compensar o dia de folga, oferecendo-se para fazer alguma coisa que alivie a sócia.

Na sua vida profissional, Júlia compreende que precisa negociar. Mas isso não acontece em sua casa. Vamos observar como ela se comporta com o marido, Gustavo. Ela quer ver um filme romântico que está sendo exibido em um cinema local. Como sabe que ele está concentrado em um trabalho e que detesta filmes românticos, prepara-se para uma discussão.

Júlia: – Sei que você nunca quer fazer as coisas que eu quero, e nem sei por que estou pedindo, mas será que você poderia fazer o sacrifício de ir ao cinema comigo amanhã à noite?

Gustavo: – Será que você poderia me deixar terminar o que estou fazendo? Além disso, já que eu nunca quero fazer as coisas que você pede, por que está perguntando?

Júlia: – Esse seu comportamento é bem típico. Você nem sequer discute o assunto; nunca quer conversar sobre nada!

Vamos parar por aqui! Esse cenário já está ficando muito tenso e, obviamente, caminhando para um impasse. O que aconteceu de tão errado? Vamos fazer uma lista das coisas absolutamente ineficazes que Júlia fez.

1. *Ela introduziu o assunto assumindo uma atitude de derrota.* Se iniciar com uma afirmação negativa, você já terá perdido antes mesmo de começar.
2. *Ela já estava ressentida com Gustavo porque ele não gosta de tudo o que ela gosta.* É muito bom querer que o amor de sua vida concorde com você em tudo, mas isso não vai acontecer nunca. Portanto desista e seja realista.
3. *Ela não gosta da idéia de que precisa negociar com seu companheiro.* Júlia tem a noção equivocada de que, quando uma pessoa ama alguém, deve automaticamente concordar em fazer tudo o que o outro quer.
4. *Ela quer que ele leia a mente dela.* Ela quer que ele compreenda que, no fundo, ela deseja passar com ele uma noite romântica. Ele não tem a mínima idéia de que é esse o desejo dela. Ele acha que ela apenas quer arrastá-lo para ver um filme de que ele não gosta.
5. *Ela ficou zangada quase que imediatamente.* A raiva nunca foi nem será uma boa ferramenta de negociação. Por ter ficado

zangada, ela começou a desfilar um histórico de ressentimentos em vez de se concentrar em conseguir o que queria.

6. *Durante toda a sua breve conversa com Gustavo, ela não conseguiu se concentrar em sua meta – ir ao cinema com ele.* Releia as palavras dela: uma série de reclamações sobre os defeitos dele. Essa não é a melhor maneira de conseguir que alguém faça o que você quer.

O que Júlia deveria ter feito então? Nada mais do que usar com o marido o mesmo método de negociação que usou com a sócia. Por exemplo:

1. *Escolher o momento certo*, uma ocasião em que ela e Gustavo estejam se sentindo próximos e em que tudo esteja bem entre os dois.
2. *Falar com serenidade e escolher as palavras certas.* Ela precisa dizer ao marido como gosta de fazer coisas em sua companhia. É por isso que quer ir ao cinema com ele.
3. *Ela precisa deixar claro que não espera que ele ceda sempre às exigências dela*, mas que de vez em quando gostaria que ele compartilhasse com ela alguma coisa que ela considera romântica.
4. *Ela precisa deixar claro que está disposta a retribuir.* Ele também gosta de coisas que não a entusiasmam. É hora de se mostrar disposta a acompanhá-lo em algumas dessas atividades.

Esteja Júlia consciente disso ou não, o fato é que as mulheres estão sempre tentando negociar seus relacionamentos. Muitas vezes, fazem isso se omitindo, ludibriando ou chorando. A mulher inteligente sabe que existem maneiras melhores. Existem técnicas de negociação diretas, francas, justas e razoáveis que serão indispensáveis na construção de relacionamentos bem-sucedidos.

Em qualquer negociação ideal ambas as partes conseguem sair com alguma coisa que desejam. Quando isso acontece, há três possíveis vencedores: você, seu parceiro e o relacionamento dos dois.

A mulher inteligente sabe que ninguém vence se todos não vencerem. Ela sabe a diferença entre...

- Negociar e manipular.
- Negociar e explorar.
- Negociar e confrontar.

A mulher inteligente sabe que há mil e uma coisas sobre as quais você e seu companheiro provavelmente não concordarão.

- Você aumenta o volume do som, ele diminui.
- Ele liga o ar-condicionado, você desliga.
- Ele deixa o assento do vaso sanitário levantado, você o abaixa.
- Você quer lavar a louça antes de dormir, ele quer deixar para o dia seguinte.
- Você quer que a banheira seja lavada toda vez que é usada, ele diz: "Pra quê? É apenas água."
- Você empilha os pratos virados para cima, ele os empilha virados para baixo.
- Você compra lâmpadas de 100 watts, ele as substitui por outras de 40 watts.
- Você tenta manter a casa em perfeita ordem, ele espalha papéis e livros por toda parte.

- Você quer fazer a cama todas as manhãs, ele diz: "Nós não estamos no Exército, por que você insiste nisso?"
- Você deixa o cachorro dormir na cama, ele tem um ataque.
- Você quer comer fora duas vezes por semana, ele quer comer fora duas vezes por ano.
- Você quer trocar seu carro que já tem quatro anos, ele protesta afirmando que o carro está em excelente estado.
- Ele, como sempre, quer passar os feriados na casa de campo dos pais dele, você quer alugar uma casa de praia, para variar um pouco.

A mulher inteligente sabe que...

Se um casal diz que os dois estão sempre de acordo em tudo, há três alternativas: ou estão mentindo para você, ou estão mentindo para eles mesmos, ou estão morando em estados diferentes.

No início de um relacionamento, a maioria das mulheres tende a se concentrar nas "grandes" questões. Será que ele gosta de mim? Será que ele gosta muito de mim? Será que eu gosto muito dele? Será que vamos ficar juntos? Em geral, você fica mais interessada em saber se vocês vão ou não sair de férias juntos do que em saber aonde irão nas férias. Na paixão do início do relacionamento é extremamente difícil para qualquer uma das partes acreditar que em algum momento no futuro os dois venham a discordar não apenas sobre aonde ir, mas também sobre como ir e com quem ir.

Mas, a partir do momento em que um relacionamento se firma e os parceiros se sentem seguros um com o outro, as diferenças entre os dois passam a surgir com mais freqüência e parecem se tornar mais significativas, mesmo quando são absolutamente insignificantes. Isso é bom. Indica que os dois estão confiantes a ponto de revelar suas próprias características. Mas também representa um desafio, porque essas diferenças precisam ser negociadas.

A verdade é que um relacionamento saudável é sempre um processo contínuo de lidar com diferenças. Milhões de decisões precisarão ser tomadas (de preferência, uma de cada vez) e trarão à luz todo tipo de coisa: de gostos individuais a necessidades cruciais; de meras opiniões a crenças arraigadas; da maneira como se corta um tomate à escolha do colégio para os filhos; do lugar onde passar os feriados ao vídeo a ser alugado para a noite de domingo. Cada uma dessas questões precisa ser abordada de maneira justa e construtiva. Esqueça a proposta do rei Salomão de "cortar o bebê ao meio". É aqui que entra uma palavra mágica – conciliação.

O mais importante é saber que conciliar não é definir o que é certo e o que é errado. É chegar a uma decisão aceita por duas pessoas com dois pontos de vista diferentes. Algumas vezes, o seu ponto de vista prevalecerá. Em outras, o dele prevalecerá. Às vezes, vocês dois acharão que conseguiram o que precisavam. Em outras, sentirão como se tivessem perdido. Mas, se o relacionamento for basicamente sólido, considere-se uma mulher de sorte por ser capaz de negociar e de conscientemente abrir mão do que deseja – nas vezes em que isso acontecer – em nome de um bem maior, que é o relacionamento feliz de vocês dois.

A mulher inteligente sabe que nem sempre irá fazer o que quer.

A mulher inteligente sabe que...

Estar com uma mulher que não escuta é como viver em um país onde ninguém fala a sua língua: é muito difícil ser entendido ou valorizado.

Jaques diz que está ficando cansado de escutar que os homens nunca prestam atenção no que as mulheres têm a dizer. Em seu relacionamento, acrescenta, é Madalena quem não ouve o que ele diz. Jaques conta que, quando começa a falar, quase sempre ela se lembra de alguma tarefa inadiável. As conversas com ele são o último item na lista de prioridades dela.

Na visão dele, a cena se desenrola mais ou menos assim: eles se sentam para jantar ou tomar café e ele começa a contar alguma coisa. Mal terminou a primeira frase, Madalena o interrompe: "Um segundinho só, querido." Levanta-se e corre para pegar alguma coisa na cozinha. Ou diz: "Querido, quero muito escutar o que você está falando, mas antes preciso lhe fazer uma pergunta." Ou o telefone toca e ele ouve de novo: "Só um segundinho, querido", e aí ela vai para outro cômodo com seu telefone sem fio e fica conversando com uma amiga ou uma colega do trabalho durante 30 minutos.

Bem, uma mulher talvez justificasse Madalena, dizendo que provavelmente ela está muito ocupada, muito pressionada e com muita coisa na cabeça. Esse pode ser o motivo de ela não conseguir se concentrar no que Jaques está falando. Mas os homens têm uma enorme dificuldade de compreender por que todos os telefonemas de estranhos parecem dignos de muito mais atenção do que ele.

A mulher inteligente sabe que...

Uma coisa é ver televisão enquanto você faz as unhas; outra é ver televisão enquanto seu parceiro está falando.

A mulher inteligente...

- Não faz uma pergunta se não tem tempo para ouvir a resposta do parceiro.
- Não faz uma pergunta se não está interessada em ouvir a resposta do parceiro.
- Não faz uma pergunta se não se importa com a resposta do parceiro.
- Não dá sua opinião se não está preparada para ouvir a opinião do parceiro.

A mulher inteligente sabe que manter um diálogo aberto é mais importante do que decidir quem está certo e quem está errado.

~

Quando Eliane tem certeza de que está com a razão, não arreda pé até que a outra pessoa peça desculpas. Não fala com sua irmã por causa de uma briga que aconteceu há cinco anos. Não fala com a ex-melhor amiga por causa de algo que ela disse ao telefone há dois anos. Não fala com o vizinho de porta por causa de uma discussão sobre suas roseiras. Se continuar nesse rumo, acabará não falando com o homem que ela ama.

A mulher inteligente nunca assume posturas tão inflexíveis, nem faz tanta questão de estar sempre com a razão a ponto de querer arruinar a sua vida.

~

A mulher inteligente nunca assume posturas tão inflexíveis, nem faz tanta questão de estar sempre com a razão a ponto de ser incapaz de dizer: "Desculpe. Não quero brigar com você."

~

A mulher inteligente sabe que se vencer muitas vezes na queda-de-braço, corre o risco de acabar perdendo.

A mulher inteligente sabe qual é a diferença entre...

- Dizer o que acha e gritar como uma louca.
- Tocar o coração de um homem e fazê-lo enfartar.
- Jogar limpo e trapacear.
- Tomar uma posição e atacar.

A mulher inteligente sabe que...
Os homens gostam de mulheres que jogam limpo.

~

Na família de Michele ninguém levantava a voz. As pessoas guardavam tudo dentro de si. Ela se casou com Henrique, que vinha de uma família grande e barulhenta, em que se costumava discutir gritando. No início, ela detestava o estilo do marido, mas, depois de algum tempo, passou a apreciá-lo. Diz que, quando se coloca no meio da cozinha e grita "Ei, isso é comigo?!", ela se sente absolutamente liberada.

~

Brígida veio de uma família mais problemática. Seu pai era alcoólatra, e quando ficava bêbado se tornava verbalmente agressivo e violento. Ela nunca se recuperou por completo do pavor que sentia ao ouvir os gritos de uma voz masculina. Se seu marido fica zangado e fala mais alto, ela começa imediatamente a chorar.

~

Na família de Dominique, era a mãe dela que começava as discussões. Ela gritava e berrava, enquanto o pai de Dominique ficava em silêncio. Hoje, Dominique percebe que também grita – com os filhos, com o marido, e às vezes com as pessoas que a irritam. Ela se odeia quando faz isso, e sente uma enorme culpa e vergonha, mas não consegue se controlar em situações estressantes.

Qual é o seu estilo de briga? E como foi que ele se formou?

Você o adquiriu com seu pai ou com sua mãe? Você passa dos limites mesmo quando tenta não reproduzir o que seus pais faziam? Você e qualquer um de seus irmãos brigavam regularmente? Ou você vem de uma família onde tudo é debatido com o máximo de respeito possível? Você vem de uma família muito educada ou de uma família em que não há limites? Você vem de uma família onde ninguém brigava de fato, mas todo mundo criticava? Você vem de uma família onde ataques verbais eram considerados engraçados ou afetuosos?

Se você briga com seu parceiro da mesma maneira que brigava com seus irmãos, ou que seus pais brigavam um com o outro, é possível que não dê tanta importância às brigas. Afinal, esse talvez seja o único estilo de discussão que você conhece. Na sua opinião, é assim que as pessoas discutem e discordam umas das outras. O problema é que muito poucas famílias lidam com os conflitos de maneira franca, serena ou justa. E essa é uma herança que será transmitida de geração em geração, a não ser que você decida mudá-la.

A mulher inteligente sabe que...

Só porque a sua família agia de determinada maneira, isso não significa que essa seja a melhor maneira.

~

Só porque a sua família agia de determinada maneira, isso não significa que essa seja a maneira correta.

~

Só porque a sua família agia de determinada maneira, isso não significa que essa seja a maneira mais inteligente.

É importante lembrar que desavenças sérias ocorrem porque algo precisa ser resolvido. A sua meta é chegar ao fundo de um problema para poder resolvê-lo. Vamos imaginar, por exemplo, que vocês estejam discutindo porque um dos dois deixou o carro do lado de fora com as janelas abertas e a chuva molhou os bancos.

Tente manter qualquer discussão direcionada exclusivamente para o problema em questão, para a forma de resolvê-lo e para evitar que volte a acontecer. Nesse exemplo, fale apenas sobre o carro, as janelas, a chuva e os bancos molhados. Não ajuda em nada trazer do fundo do baú todas as coisas erradas que o outro já fez. Além de não resolver o problema, azeda o relacionamento.

O mesmo tipo de lógica se aplica a assuntos mais importantes. Atenha-se, *por favor*, ao que está sendo discutido, e resista à tentação de ligar a questão a todos os outros assuntos importantes sobre os quais você quer conversar.

A mulher inteligente sabe que...

Por mais que você esteja zangada, nunca é inteligente usar golpes baixos numa briga.

- Não compare desfavoravelmente seu parceiro com nenhum outro homem.
- Não ridicularize seu parceiro falando sobre a aparência física dele, sobre a maneira como se veste, cheira, caminha, fala ou ronca.
- Não desvalorize seu parceiro comentando a respeito de sua dificuldade em ganhar dinheiro.
- Não humilhe seu parceiro contando-lhe todas as coisas negativas que os outros dizem a respeito dele.

- Não marginalize seu parceiro.
- Não use lágrimas como técnica de manipulação.
- Não faça questão de ter a última palavra.

A mulher inteligente está sempre tentando descobrir maneiras mais saudáveis de lidar com conflitos.

A mulher inteligente sabe qual é a diferença entre ter uma desavença e tolerar uma agressão.

~

Um dos vários fatores preocupantes em relacionamentos violentos é que as agressões podem se tornar tão rotineiras que passam a ser toleradas. As mulheres que vivem com homens agressivos freqüentemente acabam desculpando-os: "Ele não é tão mau assim", elas dizem; "Ele só é violento de vez em quando", ou "A culpa é de fato minha. Sei que ele fica zangado quando faço alguma coisa de que ele não gosta. Eu não deveria provocá-lo".

Como qualquer pessoa que já viveu um relacionamento violento sabe, há sempre uma desculpa para o comportamento do homem. Quando a violência está relacionada ao consumo de bebida e de drogas, a mulher pode pensar: "Ele só fica agressivo quando bebe ou consome drogas." Às vezes, a violência está ligada a questões financeiras, e a mulher diz: "Isso começou quando ele perdeu o emprego; se ele conseguisse arrumar um trabalho, deixaria de ser violento." Em geral, o homem sente vergonha e mal-estar após a agressão, o que faz a mulher afirmar: "Ele prometeu que nunca mais isso vai acontecer."

~

Para a mulher inteligente, a verdade é uma só: uma agressão é uma agressão. Estatísticas incontestáveis informam que a violência se intensifica a cada agressão. Portanto, quanto antes você buscar ajuda, melhor será. Hoje é melhor do que amanhã.

A mulher inteligente...

...não mastiga substâncias tóxicas.
...não tenta digerir mais do que
pode suportar.
...nunca engole a sua raiva.

A mulher inteligente sabe que...

Por mais que vocês se comuniquem bem, não é nada inteligente prestar mais atenção no que o outro diz do que na voz do seu próprio espírito.

Quando Laura e Eric começaram a sair juntos, ele parecia maravilhoso – gentil, atencioso e generoso. Eles estão juntos há cerca de um ano, e *em alguns momentos* ele é gentil, atencioso e generoso. Em outros, é particularmente controlador, crítico e compulsivo. Às vezes ela tem a sensação de que estar com ele é um convite à dor de cabeça.

Na semana passada, Laura planejou um jantar maravilhoso, mas, assim que começou a prepará-lo, Eric começou a fazer alterações no cardápio. Ela já ia colocar o arroz no fogo quando ele disse que queria macarrão. E acrescentou: "Em vez de assar o peixe com legumes, você poderia, por favor, grelhá-lo com limão?"

Ela ia começar a preparar uma salada com três tipos de folhas diferentes quando ele a interrompeu dizendo que tinha descoberto um pacote de ervilhas congeladas e preferia comê-las no lugar da salada. Como é que ele soube que as ervilhas estavam no freezer dela? Porque, enquanto Laura preparava o jantar, Eric se ocupava em arrumar a geladeira da namorada. Quando ela perguntou o que ele estava fazendo, Eric disse que estava apenas tentando colaborar.

A mulher inteligente sabe que Laura tem um problemão à vista. Eric dispõe de milhares de maneiras, grandes e pequenas, sutis e ostensivas, de fazer com que ela sinta que está fazendo alguma coisa errada, de modo errado. Muitos homens adotam esse tipo de controle disfarçado, e isso pode ter reflexos altamente destrutivos. Por exemplo, você está se preparando para ir a uma festa e ele diz: "Por que você não coloca uma roupa mais chique?" ou "Por que você não coloca uma roupa mais informal?". Você está na festa e ele diz: "Por que você está comendo camarão em vez de carne?" ou "Não acha que está se exibindo demais?". Vocês voltam para casa e ele diz: "Por que você não foi mais simpática com os Soares?" ou "Você foi excessivamente simpática com os Soares hoje à noite". Você vai para a cozinha fazer café e ele liga a televisão para ouvir o noticiário. O telefone toca. Você atende. É para ele. Quando você o chama, ele diz: "Por que disse que estou em casa? Será que não vê que estou ocupado?"

Qualquer coisa que você faça está *errada*. Essa é a sua sensação constante. Enquanto ele sempre parece calmo, lógico e controlado, você começa a parecer emotiva, histérica e descontrolada. Uma mulher que tenta manter um relacionamento com esse tipo de homem fica presa em um verdadeiro dilema. Ele é leal, fiel e ama você. Mas ele a está enlouquecendo e não parece se dar conta disso. O que fazer?

A mulher inteligente lhe diria que, antes de tudo, você precisa se convencer de que não há nada de errado com o que você está vestindo, com o que está dizendo, com o que está cozinhando ou com o que está fazendo. Trata-se apenas de uma necessidade absurda de dominação. Esse tipo de homem pode parecer calmo e controlado, mas, se o verniz exterior for raspado, debaixo dele você encontrará uma fonte de ansiedade, raiva ou frustração. Você não a causou, mas ela certamente pode transformar a sua vida em um inferno.

Se você está envolvida com um crítico ferrenho, precisa descobrir o mais rápido possível se o comportamento dele não é um prenúncio de problemas mais sérios. Alguns homens são críticos contumazes e parecem sempre se aborrecer com coisas bobas.

Outros podem começar fazendo pequenas críticas, mas suas atitudes vão se tornando mais extremas – às vezes chegam a um ciúme descontrolado e até à agressão física. Antes de o relacionamento se firmar, é absolutamente necessário que você comece a pensar em se proteger.

A primeira coisa a fazer é procurar um terapeuta ou um grupo de apoio que a ajude a tomar decisões e a impeça de interiorizar as críticas que seu parceiro lhe fez (isso é essencial). A seguir, você tem quatro opções:

1. Acabar o relacionamento (algo que talvez você não queira fazer se ele for um cara decente que ama você, mas não consegue parar de censurá-la).
2. Ignorar as críticas dele e fazer apenas o que você deseja (é mais fácil dizer do que fazer isso; pode ser quase impossível).
3. Brigar com ele o tempo todo (algo exaustivo na melhor das hipóteses).
4. Investir na terapia (essa é a escolha da mulher inteligente).

A mulher inteligente sabe que as mulheres que engolem suas raivas têm indigestão.

A mulher inteligente sabe que...

Tentar viver com um homem muito fechado é como tentar viver com um caramujo.

Mônica está lendo um artigo que fala sobre como melhorar o grau de comunicação no relacionamento. "Essa não!", ela pensa, sem saber se deve rir ou chorar. Não importa quantos tratados leia sobre o assunto, não importa quantas técnicas empregue, será que ela consegue fazer Toni se comunicar? Ele é afetuoso, delicado e bom. Mas será que um dia ele vai falar, falar para valer, se abrir de verdade? De jeito nenhum.

É claro que ele fala. Fala com seus amigos sobre esporte, política ou trabalho. Às vezes, até tenta conversar com ela sobre esporte, política ou trabalho. Não muito, nem regularmente. E, quanto ao que está acontecendo entre os dois – ou a qualquer coisa sentimental relacionada ao assunto –, francamente!!! Mônica diz: "Se os chimpanzés podem aprender a falar, deve haver esperança para o meu Toni. Eu só não sei o que fazer para que isso aconteça."

A mulher inteligente sabe que alguns homens fogem de seus relacionamentos sem precisar dar um único passo para sair. Esses homens se escondem atrás de seus jornais, de seus trabalhos ou de seus passatempos. Não são mesquinhos nem infames. Apenas parecem não estar interessados em se relacionar.

Sim, é verdade, alguns homens (e também algumas mulheres) morrem de medo de uma intimidade real e dos próprios sentimentos. Em vez de levar essas dificuldades para o relacionamento, a mulher inteligente as leva para o lugar adequado – o consultório de um terapeuta.

A mulher inteligente sabe que...

Um profissional qualificado pode ajudar muito quando a mulher do tipo *"Eu quero falar sobre isso agora"* tenta se comunicar com um homem do tipo *"Se não falarmos sobre isso, talvez esse assunto morra"*.

A mulher inteligente não tem medo de tentar resolver os problemas em seu relacionamento.

~

Andréia e Bernardo estão noivos há seis meses. Como presente de casamento, a tia dela (que é terapeuta) se ofereceu para pagar algumas sessões de aconselhamento pré-nupcial para os dois. Não que exista qualquer problema sério. Mas é que a tia acredita que todos os casais se beneficiam desse tipo de aconselhamento. Ela afirma que existem habilidades específicas que podem ser aprendidas e que irão ajudar bastante o casal.

Embora adore sua tia e aprecie a oferta, Andréia não sabe ao certo se quer aproveitá-la. Por quê? Porque está apavorada. Teme que o terapeuta vá começar a investigar e talvez descubra que Bernardo está em dúvida. Ela já ouviu histórias sobre casais que, ao fazerem terapia, se deram conta de que não queriam continuar casados. Ela tem um medo danado de correr esse risco.

~

Cássia e Miguel têm enfrentado muitas situações estressantes ultimamente, e de fato não estão se comunicando muito bem. As dificuldades parecem ter invadido também o quarto dos dois. Cássia tem medo de sugerir uma terapia porque está preocupada com a possibilidade de Miguel ganhar coragem para revelar que não sente mais atração por ela.

~

Diana e Félix têm mil e uma pequenas questões que parecem não conseguir resolver. Nada muito importante, mas andam se desentendendo demais. Ela sinceramente acha que eles devem fazer umas sessões de terapia, mas fica nervosa. Félix é muito dependente dela, e Diana teme que a terapia o conscientize disso. Suponhamos que ele mude: ela teme que ele consiga resolver suas questões de dependência e a deixe.

~

Muitas mulheres têm esses pequenos diálogos internos todos os dias. Apesar de compreenderem os potenciais benefícios da terapia para casais, temem as desconhecidas conseqüências negativas. Ficam cheias de dúvidas: "Será que estamos prontos para confrontar a realidade do nosso relacionamento?", "Será que vamos descobrir alguma coisa com a qual ele não consiga lidar?", "Será que o crescimento pessoal de um dos dois provocaria uma distância entre nós?"

O objetivo de um terapeuta bem-intencionado é promover uma aproximação maior do casal, e não uma separação. Mas, como tudo na vida, a terapia não oferece garantias. É absolutamente indispensável informar-se sobre a competência do terapeuta, sob o risco de cair nas mãos de um charlatão que, este sim, vai causar grandes estragos. Pode ser também que você prefira procurar uma terapia só para você e outra para o seu parceiro, o que poderá trazer benefícios expressivos. De qualquer forma, não dispense a ajuda preciosa que uma terapia bem-feita costuma proporcionar.

Mesmo que o terapeuta seja super-recomendado, antes de iniciar o tratamento, vocês – no caso de terapia de casal – devem ter uma ou duas entrevistas com o profissional, a fim de conhecê-lo. É importante haver empatia e confiança. Será que ele (ou ela) compartilha seus valores, por exemplo? Você tem objetivos para o seu relacionamento. É essencial que a pessoa que vá atendê-los concorde com esses objetivos. Vocês precisam se sentir à vontade para expor seus problemas. Não tenha medo de fazer uma pesquisa. Até mesmo o mais qualificado e respeitado terapeuta matrimonial não é o ideal para todos os casais.

A mulher inteligente procura informar-se antes de tomar qualquer decisão.

A mulher inteligente sabe que...

Promessas vazias são como pastilhas para a garganta – podem oferecer alívio durante alguns minutos, mas a dor sempre volta.

~

Jonas gasta todo o dinheiro que sobra (e mais algum) no jogo. Ele vive prometendo à esposa, Janaína, que vai parar, mas isso nunca acontece.

~

Gilberto já prometeu milhares de vezes a Heloísa que vai parar de beber ou diminuir a quantidade de bebida. Ela ainda está esperando que isso aconteça.

~

Pedro reconhece que tem dificuldade em assumir compromissos. Ele diz a Carmem que a ama e já marcou inúmeras vezes a data do casamento. Mas há sempre uma razão para adiar. Meses se tornaram anos, e Carmem ainda não perdeu a esperança.

~

Nilo está tendo um caso. A esposa dele, Sheila, descobriu, porque ele foi descuidado e deixou pistas muito claras. Quando ela o confrontou, ele confessou e prometeu que iria acabar o caso. Só que também prometeu à amante, Denise, que iria se separar de Sheila. As duas mulheres têm muitas coisas em comum.

Essas mulheres têm a mesma dúvida: será que um ultimato funcionaria? A única ocasião em que o ultimato funciona é quando o homem não quer correr o risco de perder você. Muitas mulheres têm medo de descobrir isso. Se você é uma delas, a mulher inteligente lhe diria que, sim, às vezes os ultimatos funcionam. E, bem, às vezes eles não dão certo. A mulher inteligente a incentivaria a examinar o seu relacionamento com a maior atenção e a dar os seguintes passos antes do ultimato:

1. *Não* se concentre no fato de ele estar ou não disposto a perder o que vocês dois têm.
2. *Concentre-se* no fato de você querer ou não conviver com essa situação para o resto de sua vida.
3. *Certifique-se* de que a questão é suficientemente importante para justificar uma atitude tão drástica quanto um ultimato. É tolice dizer: "Vou cair fora se você não aprender a gostar de filmes românticos."
4. *Tenha* uma conversa franca com seu parceiro sobre o que a está incomodando e ouça o que ele tem a dizer.
5. *Não* sinta medo de ouvir o que ele tem a dizer. A verdade é a verdade. O seu medo não irá mudar o comportamento dele.
6. *Descubra* quais são as mudanças que ele está preparado para efetuar sem o seu ultimato.

São apenas duas as ocasiões em que você pode dar um ultimato para um homem: quando estiver preparada para não voltar atrás e quando estiver preparada para não voltar atrás.

~

A mulher inteligente sabe que os homens gostam de mulheres que cozinham, limpam, lavam e passam. Por que é que alguém não gostaria de uma parceira que faz todo o serviço?

A mulher inteligente sabe que não existe nada mais sexy do que a visão de um homem agachado esfregando o chão da cozinha.

A mulher inteligente sabe que...

Só porque ele venera o chão que você pisa, isso não significa que ele vá se oferecer para varrê-lo.

~

Cena: Residência dos Simens, 10h da noite de uma gelada segunda-feira de fevereiro. João Simens assiste a um jogo de futebol na televisão. Está usando seus confortáveis chinelos e comendo pipoca. Marli Simens, na cozinha, coloca pratos na máquina de lavar louça e olha para um saco pesado. Spot, o cachorro da família, anda acintosamente de um lado para o outro entre os dois. Alguém precisa colocar um par de sapatos, vestir um casaco, colocar a coleira no cachorro e percorrer esse doloroso e solitário caminho: primeiro até à lixeira, depois até à rua gelada, puxado por Spot. Quem irá fazer isso?

Será que é Marli, pelo fato de ser mulher, e de a mulher tradicionalmente assumir uma responsabilidade maior nas tarefas domésticas? (Além disso, Spot gosta mais dela.) Ou será João, já que a remoção do lixo é geralmente considerada uma atividade masculina? (Além disso, foi ele quem comprou o cachorro.)

Não importa quem seja, *a única coisa que a mulher inteligente sabe com absoluta certeza é que* ***ninguém quer levar o lixo lá para fora.***

~

Veja aqui uma regra da mulher inteligente: *Todos os casais precisam encontrar maneiras justas de dividir as tarefas domésticas.*

Já sabemos o que vocês vão dizer: "Isso é muito bonito, mas não é bem assim que as coisas funcionam, mesmo quando marido e mulher trabalham em horário integral." Miriam, por exemplo, é uma dessas mulheres que sempre parece estar fazendo a maior parte das tarefas domésticas, e ela ainda nem se casou. Entretanto, seu noivo, Léo, raramente assume a responsabilidade por qualquer uma dessas tarefas.

Como o apartamento dela é maior e mais confortável, eles ficam lá grande parte do tempo. Isso significa que é a televisão *dela* que quebra com mais freqüência por ser a mais usada, e que é *ela* que precisa levá-la para o conserto. É o sofá *dela* que precisa ser lavado, e é ela quem faz isso. Os pratos *dela* ficam sujos, e as toalhas *dela*, encharcadas. Quando Léo vai embora, Miriam leva um tempão para colocar tudo em ordem. É óbvio que ela passa mais tempo limpando, cozinhando e cuidando da roupa do que ele. Isso sem falar do tempo que ela gasta no supermercado para que ele sempre tenha alguma coisa para comer.

Miriam não sabe como isso aconteceu, mas é claríssimo para qualquer observador. Ela continua automaticamente assumindo a responsabilidade por todas as tarefas domésticas sem nunca deixar claro que espera uma divisão justa. Os dois chegam do trabalho exaustos, e ela diz: "Ah, tudo bem, amor, eu vou preparar uma comidinha rápida para a gente não precisar sair." Léo está vendo televisão e ela diz: "Levanta os pés, amor, para eu poder varrer as migalhas." No domingo de manhã, ao acordarem, ela diz: "Vou comprar o jornal e alguns pãezinhos. Você precisa de mais alguma coisa?"

Uma atitude vale mais do que mil palavras. Antes de começar a discutir, ela deveria começar a agir de outra maneira. A primeira coisa é desligar seu piloto automático e parar de se oferecer para fazer tudo. Em vez de correr para pegar o aspirador de pó, ela poderia aprender a fazer a seguinte pergunta mágica: "A que horas você acha que *nós dois poderíamos* limpar a casa hoje (ou amanhã)?" Se ele decididamente acha que não pode ajudar nas tarefas domésticas, há uma alternativa: contratar alguém para fazer esses serviços e dividir a despesa com ele.

As dicas da mulher inteligente para conseguir que um homem faça a parte que cabe a ele:

1. Não tenha medo de pedir. Às vezes ele não colabora porque está realmente distraído; às vezes ele não colabora porque não percebe que você espera que ele a ajude; às vezes ele não colabora porque não vê isso como uma prioridade; e às vezes ele não colabora porque está simplesmente com preguiça e fica esperando que você peça ajuda.
2. Se ele não sabe por onde começar, atribua-lhe tarefas específicas.
3. Não fique fiscalizando enquanto ele está trabalhando, e não aja como se você fosse o gerente e ele o empregado desajeitado.
4. Não sinta pena dele nem fique zangada porque ele não parece feliz nem assobia enquanto trabalha. Ignore qualquer cara amarrada.
5. Não corra para terminar tarefas para ele porque o acha inapto e incompetente. A prática leva à perfeição.
6. Elogie o trabalho dele e não critique suas deficiências.
7. Tente estabelecer horários semanais específicos para a limpeza da casa.
8. Não o deixe escapulir só porque ele a ama.

A mulher inteligente tem certeza de que você terá um relacionamento melhor se evitar dividir as tarefas domésticas segundo os padrões masculinos/femininos tradicionais.

A mulher inteligente sabe que...

Nunca é inteligente se sentir desconfortável quando um homem está preparando o jantar.

~

Se você não consegue resistir ao impulso de assumir todas as tarefas, procure um emprego de faxineira. Ou contrate uma.

Mito: Os homens precisam ser cuidados como filhos.

Realidade: Ser mãe significa cuidar dos filhos. Meninos precisam de mães; homens precisam de parceiras.

A mulher inteligente sabe que...

Os homens gostam de mulheres que têm uma atitude realista a respeito de homens e de dinheiro.

São pouquíssimos (se é que existe algum) os relacionamentos que não são afetados por questões financeiras. Entretanto, as mulheres raramente compreendem como a maioria dos homens se preocupa com as próprias finanças e com o status financeiro. Historicamente, os homens foram condicionados a acreditar que a conquista de poder é uma parte intrínseca do valor masculino. E, embora os tempos estejam mudando, eles ainda não mudaram o suficiente para acabar com esse tipo de crença. Até mesmo os homens que acreditam na igualdade das duas partes de um relacionamento reconhecem que as vozes das antigas regras ainda podem incomodá-los: "A minha capacidade de ganhar dinheiro está sendo julgada?", "Será que tenho dinheiro suficiente para ser um parceiro desejável?", "Será que um dia terei dinheiro para me casar?", "Se eu me casar, vou precisar assumir a maior parte da responsabilidade financeira? Serei capaz disso?".

Talvez você não dê tanta importância ao dinheiro. Ou talvez dê muita. É provável que esteja entre os dois extremos. E, mesmo gostando de dinheiro, talvez não queira o dinheiro *dele*. Talvez você seja financeiramente independente. Talvez se sinta melhor sendo capaz de se sustentar. Talvez considere suas despesas responsabilidade sua. Mas não importa, pois ele deve se preocupar de qualquer jeito.

Por que estamos lhe dizendo tudo isso? Apenas para fazer com que você saiba como é séria a questão financeira para a maioria dos homens, mesmo para aqueles que tentam dar a entender que não é.

A mulher inteligente sabe que, mesmo que seu parceiro queira tratá-la como uma rainha, ele provavelmente não tem dinheiro para isso.

Mito: Um homem de verdade paga por todas as coisas caras e importantes.
Realidade: O mundo mudou. Assim como você, a maioria dos homens não tem como bancar tudo.

Os padrões ultrapassados não se aplicam mais. Se o seu parceiro não estiver assumindo automaticamente todas as contas, isso não significa necessariamente que ele seja desprezível ou não seja um bom companheiro. Na realidade, ele pode ser melhor do que um homem que segue todos os tradicionais e rígidos papéis masculino/feminino.

Mito: Se um homem realmente gosta de você, ele gasta o dinheiro dele com você.
Realidade: Se um homem realmente gosta de você, ele gasta a energia dele com você.

Para alguns homens não há nada mais fácil do que detonar dinheiro para criar a ilusão de que estão interessados em você. Mas arrumar tempo para ficar ao seu lado, para ouvir e compartilhar – isso, sim, é difícil. Um homem que se esforça nesse sentido demonstra seu real interesse em desenvolver um relacionamento com você.

A mulher inteligente sabe que...

Casais que não resolvem suas questões financeiras pagam um preço.

Em nossa sociedade, dinheiro e poder freqüentemente andam lado a lado. Isso é um problema sério para a sociedade, mas poderá ser igualmente muito problemático em seu relacionamento se interferir na maneira como vocês lidam um com o outro. Há 50 anos, as coisas eram mais claras. Papai ganhava dinheiro e mamãe cuidava da casa. Atualmente, nada sobre dinheiro está claro, exceto o fato de que muitos nunca parecem ter o suficiente, não importa quanto ganhem. As situações são as mais variadas. Ele pode estar ganhando muito enquanto você ganha o salário mínimo. Ele pode estar desempregado enquanto você acaba de ser promovida na empresa. Ambos podem estar ganhando salários adequados ou os dois desempregados.

O fato é que, admita ele ou não, em algum lugar da cabeça do homem comum vive a crença de que as mulheres julgam os homens pela quantidade de dinheiro que eles ganham. As reações dos homens variam. Alguns tentam provar seus méritos e melhorar seus ganhos; outros sentem raiva e indignação; outros, ainda, tentam não fazer parte do sistema.

As mulheres, por sua vez, têm maneiras igualmente características de lidar com "a questão financeira". De modo geral, elas foram condicionadas a se sentirem especiais e cuidadas quando o homem assume a responsabilidade financeira. As reações também são diversas. Algumas reagem a isso esperando que o homem assuma a maioria das despesas; outras querem garantir sua independência financeira e assumir suas próprias despesas; há aquelas que tentam criar suas próprias regras.

A probabilidade de ocorrerem problemas é maior quando um homem e uma mulher que pensam de maneira diferente sobre dinheiro e papéis tradicionais se vêem envolvidos em uma relação de amor. Se acrescentarmos a isso o fato de que alguns homens e mulheres acreditam que o direito de tomar decisões esteja atrelado ao dinheiro que ganham, poderemos ver as diferenças básicas nas atitudes ligadas a questões financeiras que podem existir entre duas pessoas.

Não importa quem faça o quê. Existem dezenas de opções sobre a forma como vocês dois gerenciam o dinheiro do casal. A maneira como decidem fazer isso não importa. O importante é que ninguém se sinta lesado, depreciado, controlado, usado ou explorado por causa de desavenças financeiras. Algumas regras básicas:

A mulher inteligente...

- Não faz seu parceiro ficar endividado.
- Não deixa seu parceiro fazê-la ficar endividada.
- Não julga seu parceiro pelo contracheque dele.
- Não mede seu próprio valor pelo seu contracheque.
- Não deixa o dinheiro encobrir assuntos mais importantes.
- Não tenta controlar seu parceiro com dinheiro.
- Não deixa seu parceiro usar o dinheiro para controlá-la.
- Não age como se dinheiro crescesse em árvores.

A mulher inteligente sabe que...
Encher a despensa não significa que você possa dar ordens.

A mulher inteligente sabe que...

Quando se trata de sexo, todos somos pelo menos um pouquinho diferentes.

Se você quer saber do que seu parceiro gosta, não pode ter medo de perguntar.

Se quer que seu parceiro saiba do que você gosta, não pode ter medo de contar.

A mulher inteligente sabe que...

O número de pensamentos sobre sexo aumenta na proporção direta da falta de parceiros disponíveis.

Quando Carla e Ricardo começaram a ter relações sexuais, o sexo passou a ser o foco central do relacionamento dos dois. Era tão fantástico! Transavam na cozinha; transavam na sala; transavam debaixo do chuveiro. Uma vez, transaram na varanda, em pleno inverno. Mas isso foi no passado; e agora estamos no presente. Estão casados há seis anos, e às vezes parece que mal conseguem transar no quarto.

Atualmente, quando Carla sai para jantar com suas amigas solteiras, fica impressionada ao ver como elas falam sobre sexo. Muitas vezes se sente perturbada. Não por causa do que elas dizem. O que a perturba é constatar o pouco interesse que tem em sexo ou em conversas a respeito de sexo. Ela realmente ama Ricardo, e sabe que ele a ama. O relacionamento deles é muito bom. Eles têm duas filhinhas lindas que ambos adoram. Mas sexo? Ela diz que transar está em nono lugar na sua lista de prioridades, logo depois de tirar as roupas de inverno do armário e passar o aspirador de pó no carro.

Várias coisas a preocupam:

1. É normal esse desinteresse por sexo?

A mulher inteligente sabe que, em relação a sexo, não existe unanimidade. Para alguns homens e algumas mulheres, sexo é o que existe de mais importante no mundo; outros ficam igualmente excitados por jardinagem ou golfe. Além disso, durante sua vida, dependendo de sua energia (física e emocional), dos hormônios e de tudo o mais que estiver acontecendo, a mulher comum atravessará muitos estágios sexuais diferentes. Uma mulher solteira jovem quase sempre estará muito mais interessada em sexo do que uma mãe jovem que não consegue dormir o suficiente. E, sim, isso é normal.

2. Mesmo sendo normal, é um problema?

A mulher inteligente sabe que um problema sexual só se torna um problema se estiver deixando alguém infeliz. Se a falta de interesse de Carla estiver causando estresse ou tensão em seu casamento, então trata-se certamente de um problema.

3. O que Carla deveria fazer?

Conversar com seu parceiro. Ela precisa ter uma resposta realista de Ricardo. Para o relacionamento, é importante que ela saiba o que ele está sentindo, e que seja sensível a esses sentimentos. Será que ele chegou a algum tipo de conclusão sobre a falta de interesse sexual dela? Será que ele, por exemplo, se sente abandonado e precisa ter a confirmação de que ela ainda o ama?

E quanto a Carla? Será que ela também precisa saber que é amada? Será que precisa de um pouco mais de romantismo ou de um pouco mais de sedução? Se esse for o caso, ela precisa descobrir algumas maneiras delicadas de transmitir seus sentimentos.

Talvez eles pudessem fazer algum tipo de terapia de casal. Ou talvez só precisem de mais algumas horas de sono e de algum tempo sozinhos. Muitos casais que ficam envolvidos com as exigências do trabalho e o cuidado com os filhos precisam lembrar que, embora o sexo não seja tudo em um relacionamento, ele não deveria ser negligenciado. A mulher inteligente sabe que nem sempre o melhor sexo é o espontâneo, aquele que surge nos momentos mais inesperados. Para isso é preciso ter calma em torno de si e disponibilidade. Poucas mulheres realmente querem pensar em sexo quando estão trocando fraldas ou preparando o almoço, e poucos homens se dispõem a deixar de ir a um jogo do seu time favorito. Talvez Carla e Ricardo precisem encontrar maneiras de ficar sozinhos pelo menos uma vez por semana, e começar a dedicar um certo tempo à intimidade sexual. Talvez não seja espontâneo, mas poderá ser muito romântico e sedutor se os dois estiverem empenhados.

A mulher inteligente sabe que quando de trata de sexo...

- Os homens gostam de mulheres que conhecem o próprio corpo.
- Os homens gostam de mulheres que não sentem medo de se sentir sexy.
- Os homens gostam de mulheres que não mantêm uma rígida contabilidade.
- Os homens gostam de mulheres que mostram o que lhes dá mais prazer.

A mulher inteligente sabe que...

Os homens gostam de mulheres que sabem que ser flexível na cama não significa conseguir tocar os dedos do pé com a própria língua.

Muitas vezes, as mulheres ficam confusas com a sexualidade e a anatomia masculina. Quando vêem cenas de amor no cinema ou lêem descrições tórridas em livros, tudo parece muito fácil e perfeito. Mas, na realidade, as coisas nem sempre funcionam assim. A mulher inteligente sabe que os homens são diferentes sexualmente, e que as habilidades e os desejos específicos de cada homem mudam ao longo do tempo.

Em nossas fantasias sexuais sempre há um toque de magia em tudo. Às vezes isso ocorre também no campo sexual. Mas podem também surgir problemas na relação sexual, e os parceiros precisam se manter sensíveis e flexíveis para lidar com eles. A mulher inteligente sabe disso, e compreende que, com o passar do tempo, a afeição, o amor, o companheirismo e até mesmo o humor contribuirão mais para um relacionamento do que as mais exóticas preliminares.

A mulher inteligente sabe que...

Sexo real envolve partes reais do corpo (partes que nem sempre funcionam perfeitamente e, às vezes, não funcionam de jeito nenhum).

A mulher inteligente sabe que...

Os homens gostam de mulheres que sabem o que significa intimidade antes de começar a reivindicá-la.

Intimidade. Nós dizemos que a queremos. Nós dizemos que precisamos dela. Mas há uma grande diferença entre insistir em estabelecer intimidade e saber como construí-la. Quando você diz que quer ter mais intimidade com o homem que ama, qual é o seu objetivo? Você está pedindo mais atenção, mais tempo juntos, mais palavras carinhosas, mais contato físico, mais sexo? Você quer mais confiança, mais honestidade, mais comunicação ou mais compartilhamento?

Todas as mulheres têm suas próprias idéias sobre o que um relacionamento íntimo significa. Mas muitas vezes uma mulher falará sobre intimidade como se fosse algo que ela precisa obter de um homem. Freqüentemente ela não reconhece que para criar intimidade é preciso haver dois parceiros, e que ela é um desses parceiros.

Ela quer que seu parceiro confie plenamente nela, mas mantém um pé atrás. Ela quer que seu parceiro seja absolutamente sincero sobre os sentimentos dele, mas guarda alguns segredos. Ela quer saber tudo sobre as finanças dele, porém, a conselho da mãe, tem uma conta bancária escondida. Ela quer poder confortá-lo quando ele estiver doente, mas se faz de mártir quando fala de seus próprios desconfortos físicos. Ela quer ter mais relações sexuais, mas só quando tiver vontade. Ela quer que ele seja mais compreensivo, mas volta e meia se pega julgando-o.

Embora todas nós queiramos intimidade, a maioria também sente medo dela. Intimidade significa revelar-se a outro ser humano. Significa ficar vulnerável a essa pessoa. Significa abrir-se de maneiras que talvez não sejam fáceis nem agradáveis. A mulher inteligente se compromete a revelar, examinar e acabar com a sua própria resistência à intimidade antes de desviar seu foco para aquilo que seu parceiro não está lhe dando.

A mulher inteligente sabe que...

> A intimidade se desenvolve lentamente. Leva um bom tempo para que duas pessoas possam se sentir confortáveis ao compartilharem a mesma toalha, e, mais ainda, a mesma privada.

A mulher inteligente sabe que...

Compromisso é um processo, e não um pedaço de papel.

A mulher inteligente sabe que viver um relacionamento verdadeiro não significa necessariamente estar casada; não significa ter um apartamento de cobertura; não significa ser coberta de jóias pelo amado; e não significa estar unida a ele pelo quadril. A mulher inteligente sabe que assumir um compromisso significa estar determinada a se esforçar para encontrar soluções e resolver situações. Assumir um compromisso significa fazer concessões e sobreviver à perda de fantasias ao enfrentar as realidades do dia-a-dia com um outro ser humano que nem sempre tem os mesmos desejos, as mesmas necessidades, os mesmos temores, os mesmos sonhos, o mesmo modo de agir, o mesmo termostato interno ou o mesmo horário de dormir.

Nem sempre é incrivelmente romântico. Nós sabemos disso. Mas é real. É significativo. É especial. E é muito inteligente.

Sete verdades simples para a mulher inteligente

1. Se você tratar um homem como se ele fosse uma criatura de outro planeta, ele agirá como se realmente fosse uma criatura de outro planeta.
2. Estar apaixonada pode parecer assustador, mas isso não é motivo para fugir.

3. Compromisso não significa um anel, um juramento, uma palavra ou uma promessa. Compromisso é um processo.
4. Encontrar um relacionamento não significa encontrar a solução para tudo. Ter um homem em sua vida pode ser tão desafiador quanto não ter um homem em sua vida (e, às vezes, ainda mais).
5. Um bom relacionamento requer um grande esforço; um mau relacionamento é um grande desperdício de esforço.
6. Se você não consegue tolerar a idéia de que seu parceiro é uma pessoa única e diferente de você, vai ser quase impossível negociar a intimidade.
7. Se você deixar seus relacionamentos obedecerem aos padrões tradicionais dos papéis masculinos/femininos, você nunca conseguirá o relacionamento que merece.

INFORMAÇÕES SOBRE OS PRÓXIMOS LANÇAMENTOS

Para receber informações sobre os lançamentos da Editora Sextante, basta enviar um e-mail para atendimento@esextante.com.br ou cadastrar-se diretamente no site www.sextante.com.br

Para saber mais sobre nossos títulos e autores, e enviar seus comentários sobre este livro, visite o nosso site www.sextante.com.br

Editora Sextante
Rua Voluntários da Pátria, 45 / 1.404 – Botafogo
Rio de Janeiro – RJ – 22270-000 – Brasil
Telefone: (21) 2286-9944 – Fax: (21) 2286-9244
E-mail: atendimento@esextante.com.br